afgeschreven

Geertje Kindermans

~

De lieve vrede

Nieuw Amsterdam Uitgevers

NUR 301
ISBN 978 90 468 1720 9
www.nieuwamsterdam.nl/geertjekindermans

I

Vieze Arie kwam zo geleidelijk in mijn leven als de muren van mijn kamer geel werden. Lange tijd heb je het niet in de gaten of denk je dat het de lichtval is, maar op een dag is het onherroepelijk en weet je: zo kan het niet langer, hier zou je eigenlijk iets aan moeten doen.

Ik geloof dat we bij elkaar op school zaten, maar zeker weet ik dat niet. Ik kende hem in ieder geval van gezicht en wist hoe ze hem noemden.

Later zag ik hem in de Batterij. Ik stond aan het ene uiteinde van de bar, hij aan het andere en hij zwaaide enthousiast. Ik wist eigenlijk niet eens zeker of het naar mij was, maar ik wuifde terug. Dat je bij Arie over zoiets onzeker kon blijven, kwam waarschijnlijk omdat je niet precies wist waar hij naar keek.

Ons eerste gesprek voerden we in het jongerencentrum, Oblomov. Het was op een concert van D.A.F. Hoewel... een gesprek kun je het amper noemen, het was meer dat we een tijdje tegenover elkaar stonden, hij bewoog zijn mond, ik gebaarde wat terug, tot ik uiteindelijk in zijn oor schreeuwde dat ik hem niet kon verstaan in die herrie; we stonden pal voor de boxen. Joviaal stak ik mijn hand in de lucht en keerde me naar het podium. Alsof dat het teken was, werd de achtergrondmuziek uitgezet en verschenen de mannen van D.A.F. op het toneel. We schoven met zijn allen dichter naar het podium. Als een ambtenaar aan het begin van zijn werkdag ging Görl achter zijn apparatuur staan, boog zich over de knoppen en zette 'Der Mussolini' in. Daarop begon Gabi als een robot te dansen. Ook wij deden wat er van ons verwacht werd: we veranderden in een springende, joelende massa, de sfeer zat er meteen in.

Op het concert heb ik Arie verder niet meer gezien. Ik ontmoette hem pas een paar maanden later weer, op een feest in een kraakpand. Het was een goed feest. Opeens zag ik hem staan.

'Hé, jij hier,' zei ik.

'Jaaa,' giechelde hij.

Vieze Arie had zo'n brede grijns op zijn gezicht, of hij het leven een grote grap vond. Misschien nam hij iedere ochtend bij het ontbijt een puntje spacecake, of anders was hij het type dat geen wiet nodig had om stoned te zijn. Hij giechelde in ieder geval om nagenoeg alles.

'Goh,' zei ik en knikte.

Op dat moment zag ik Gerjanne en snel nam ik afscheid. Eigenlijk wilde ik liever niet met Arie gezien worden. Op een of andere manier kleefde er iets aan hem. Niet dat hij dik was, maar hij had een spekkige huid. Hij was niet gebruind, maar eerder smoezelig, zonder vuil te zijn. En zijn haar was niet vet, maar ook weer niet schoon. Mogelijk kreeg het vuil geen grip op hem, net zomin als wij dat kregen. Misschien dat we daarom als vanzelf afstand hielden.

Arie woonde ergens in de stad. Op een dag liep ik te tobben over een prachtige kamer, zo eentje waarvan je normaal gesproken alleen kunt dromen. Het ging om de woonkamer van een achttiende-eeuws pand, met een geornamenteerd plafond en een eigen balkon. Het ongelofelijke was dat ik die ruimte kon krijgen, maar dan moest ik wel meteen ja zeggen, want de vorige bewoner was plotseling vertrokken. Niemand had het zien aankomen, hoewel hij zijn vertrek indirect had aangekondigd door de afgelopen maanden zijn huur niet te betalen. Die nacht hadden zijn huisgenoten wat gerommel gehoord en de volgende dag stond de kamer leeg. Daarom werd zo snel mogelijk een nieuwe bewoner gezocht.

Ik wilde wel, heel graag zelfs, en ik was al gekeurd maar ik woonde ook nog ergens anders. Aangezien ik geen geld had om voor twee kamers huur te betalen, liep ik over straat en vroeg me hardop af hoe ik zo snel mogelijk aan een huurder voor mijn oude kamer kon komen.

Ze zeggen wel dat als je een probleem hebt de oplossing zich vanzelf aandient, maar daar geloof ik niet in. Voor hetzelfde geld sta je op zo'n moment aan het begin van een periode vol ellende. Maar in dit geval kwam de oplossing wel uit de hemel vallen. Of om precies te zijn: hij kwam uit een plantsoentje.

'Ik kan anders best een kamer gebruiken.'

Arie zat op een bankje aan de rand van een stadsparkje met een hijgende hond aan zijn voeten. Hij had me in mezelf horen praten en knikte gretig.

'Bedoel je...' zei ik. 'Je wilt mijn kamer?'

'Jaja,' zei Arie en schoof onrustig op het bankje heen en weer.

'Morgen, bedoel ik? Letterlijk morgen?'

Arie bleef doorknikken en wreef in zijn handen. Hij had er zin in.

Ik gaf hem mijn adres en verplaatste mijn gewicht van mijn ene been naar mijn andere en weer terug, alsof ik niet wist wat me nu te doen stond. Maar dat wist ik wel. Ik hoefde niet door te lopen naar de stad om op een terrasje mijn gedachten te ordenen en te zoeken naar een oplossing die er toch niet was. Niks terrasje, ik kon me nu omdraaien en naar huis gaan. Ik had het opeens razend druk.

'Tof,' zei Arie.

Hij hoefde de kamer niet te zien, die was vast in orde, hij kwam morgen wel langs om de sleutel op te halen als ik er eentje kon missen.

Ik pakte zijn hand en voelde een diepe dankbaarheid, die overging in een gevoel van warme vriendschap. Daar leek het tenminste op, maar het kon onmogelijk komen door die jongen op dat bankje, met dat vettige lange haar en die te warme jas, die daar zo'n beetje zat te grinniken. Toch bleef ik zijn hand vasthouden.

'Echt tof, Arie. Echt,' zei ik. 'Zie je morgenochtend om half tien.'

Half tien, ik riep maar wat, ik stond nooit vroeg op. Maar de volgende ochtend hield ik me aan mijn eigen afspraak en ook Arie had het letterlijk genomen, stipt om half tien belde hij aan. Grinnikend liep hij door het huis en nam de sleutel in ontvangst. En zo stond ik al vroeg de muren van mijn nieuwe kamer te witten. Nog dezelfde week verhuisde ik.

Ook Arie bleek voortvarender dan hij eruitzag. Toen ik een dag later mijn laatste spullen kwam ophalen, was hij al in mijn kamer getrokken. Hij had het er reuze druk mee. Om niet te achterhalen redenen had hij zijn matras en kleren op het gemeenschappelijke balkon gegooid, waarna het flink was gaan regenen. Hij had de boel naar binnen gehaald en had het matras op de overloop met een föhn proberen te drogen. Met zo'n kleine haarföhn ging dat niet snel. Daarom had hij het ding tegen het matras aan gezet, dan kon hij ondertussen iets anders gaan doen en zo was er een gat in het matras gebrand, hij wees er giechelend naar. Ondertussen was hij bezig te veel kleren in de centrifuge te proppen, een apparaat dat nog van mijn oma was geweest en dat ik wilde ophalen. Het was er een die het overtollige water uit de kleren zwiert, dat via een opening onderaan in een opvangbakje stroomt.

Hij schakelde het in. Behalve dat hij het opvangbakje er niet onder zette, begon het ding bonkend te grommen.

'Hij zit te vol,' zei ik.

'Zo gaat het wel,' zei hij.

Hij probeerde de machine in bedwang te houden en keek naar

het stroompje dat aarzelend uit de opening onder aan de trommel op de grond begon te lopen. Ik greep naar het bakje dat in de douchecabine stond, maar dat was niet meer nodig. Met een knal viel het apparaat stil. Vol interesse boog Arie zich eroverheen. Ik bleef even staan met het opvangbakje in mijn hand, maar aangezien Arie volledig in de machine opging – hij trok aan het snoer en begon haar van alle kanten te bekloppen – zette ik het weer terug waar ik het gevonden had en trok de deur achter me dicht.

Ik ben best een twijfelaar, maar soms is het ook voor mij duidelijk dat ik niets meer kan toevoegen.

2

Na die verhuizing zag ik Arie lange tijd niet meer, niet op straat, niet in het café, niet in het winkelcentrum. Zelden kwam ik nog langs mijn oude huis, maar als ik erlangs liep, waren de gordijnen gesloten. Het was alsof hij van de aardbodem was verdwenen. Het werd zomer, herfst en winter en aan het eind van die winter belde hij aan.

Ik wist niet eens dat ik hem mijn adres had gegeven, maar hij stond er, met de hond naast zich. Het beest zat onder de modder en er kwam een raar piepgeluid uit zijn borstkas. Vergeleken bij de hond zag Arie er patent uit. En hij keek er vrolijk bij.

'Hallooo,' zei hij en zwaaide.

'Dag,' zei ik.

Achteraf heb ik me nog vaak afgevraagd hoe het gebeurde, maar waarschijnlijk stonden we zwijgend tegenover elkaar; ik in de hal onder aan de trap, hij buiten op de stoep. Dat begon steeds vreemder te voelen en daarom deed ik wat me onvermijdelijk leek, ik zette een stap opzij.

'Kom binnen,' zei ik.

Arie was op mijn stoel geploft, ik ging in de schommelstoel zitten. De hond, die aan Aries voeten lag, produceerde een piep op het ritme van zijn ademhaling.

'Wat is dat gepiep?' vroeg ik.

We waren eerlijk gezegd nogal stil.

Arie pakte de rol koekjes die ik naast hem had gelegd en

maakte die open. 'Zijn hart,' zei hij. 'Daar zit een gaatje. Tenminste, vlak ernaast zit een gaatje.' Hij haalde een koekje uit de rol en gooide het naar de hond, die het onmiddellijk opschrokte, waarbij het gepiep overging in gefluit.

'Dat klinkt ernstig,' zei ik.

Arie grinnikte en ging verder met de rol koekjes. 'Uiteindelijk is het dodelijk, maar het kan nog wel even duren.' Hij gooide nog een koekje naar de hond, die het opschrokte en Arie meteen weer smekend aankeek.

'Misschien moet hij dan juist wel gezond eten,' zei ik.

Arie haalde zijn schouders op en begon weer een koekje uit de verpakking te peuteren.

'En je moet ze trouwens ook niet allemaal aan hem geven,' zei ik harder. 'Het zijn mensenkoekjes.'

Verschrikt bestudeerde Arie het pak en daarna keek hij naar mij.

Zo luchtig mogelijk liet ik erop volgen: 'Ik wil ook nog, bedoel ik.'

Arie grijnsde en peuterde geduldig verder. Toen hij weer een koekje te pakken had, gaf hij het met een gul gebaar aan mij.

Hij had rouwranden onder zijn nagels. Letterlijk al zijn nagels waren zwart, alsof hij daar zorgvuldig in was geweest.

Hij boog zich weer over de rol. 'Maar eh... hoe heet het...' begon hij. Geconcentreerd prutste hij door. Lange tijd bleef het stil, ik dacht dat hij was vergeten dat hij iets wilde zeggen, maar opeens ging hij verder. 'Ik heb een oproep gekregen.' En met een vette grijns: 'Jij ook? Heb jij een oproep gekregen?'

'Een oproep?' vroeg ik. 'Nee, waarvoor?' Ik legde het koekje naast me neer.

'Van de sociale dienst.'

Ik had geen speciale brieven van de dienst ontvangen, het was juist lekker rustig geweest de afgelopen tijd.

'Dat je moet komen, omdat je niet gesolliciteerd hebt?'

Van mij mocht hij inmiddels alle koekjes hebben, ik hoefde ze niet meer.

'Ik moet langskomen,' zei hij. 'Om over mijn sollicitatie-inspanningen te praten. En ik moet mijn afwijzingsbrieven meenemen.'

De grijns was van zijn gezicht verdwenen. Hij had geen brieven geschreven en ook geen andere sollicitatie-inspanningen gedaan waarover hij de dienst kon inlichten.

We werden allemaal weleens opgeroepen en als je helemaal geen afwijzingen had waren er een paar mogelijkheden, waarvan De Mol de snelste was. De Mol was een boekhandel en de eigenaar, die De Mol heette, was een aardige kerel. Het was algemeen bekend dat je daar terechtkon als je acuut in de problemen zat. Een half jaar eerder was ik er langsgegaan. De Mol zat achter zijn bureautje een van zijn eigen boeken te lezen, hij sloeg het nauwelijks open, zodat de rug niet knakte en hij het later weer in de winkel kon terugzetten. Toen ik hem vertelde dat ik de sociale dienst mijn afwijzingen moest laten zien, legde hij onmiddellijk zijn boek opzij, pakte een vel officieel De Mol-briefpapier en schreef dat hij me bedankte voor de getoonde interesse in zijn winkel, maar dat hij op dit moment geen functie voor me had.

Ik wist niet of Arie weleens een boek kocht, maar de boekhandelaar was erg links en gul met zijn afwijzingen.

'Ben je al naar De Mol geweest?'

Arie knikte.

'Hij zei dat het op een gegeven moment niet meer zo geloofwaardig is. Dat ik het ook eens ergens anders moet proberen.' Na een korte stilte vroeg hij: 'En weet je wat het is?' Nu had hij een koekje te pakken, dat hij bezorgd zelf begon op te eten. 'Die afspraak bij de dienst was al geweest. Dus toen ik belde om dat te zeggen...' Hij nam weer een hap en kauwde er lang op. 'Die afspraak had ik dus niet mogen vergeten, zeiden ze. Maar dat was het niet, ik was hem niet vergeten, ik wist niet dat ik hem had. Omdat ik mijn post dus niet openmaak.' Hij legde uit hoe pinnig de vrouw aan de telefoon was geweest, hij had daar helemaal niets van begrepen.

Nu mocht ik die mensen van de sociale dienst ook niet. Ze gingen er wel heel erg van uit dat je de hele dag niets anders deed dan achter je bureau sollicitatiebrieven te zitten schrijven. Maar als je een paar van zulke brieven de deur hebt uit gedaan en je krijgt per omgaande alleen maar afwijzingen, dan gaat de lol er wel een beetje van af. Er was gewoon geen werk, dat wisten ze bij de sociale dienst natuurlijk best. Het waren absoluut niet mijn vrienden, maar Arie was weer het andere uiterste. Hij legde omstandig uit dat hij niet snapte wat die mensen van hem moesten. Hoe konden ze denken dat hij al die brieven las die ze hem stuurden? Hij mocht toch zeker zelf wel uitmaken wat hij las? Zijn hoofd was toch niet van hen? En of hij in zijn eigen huis zijn post openmaakte ging hen geen fluit aan. Ze hadden zelfs niets te maken met de diploma's die hij had gehaald.

Nou viel er wat dat betreft niet veel te weten: Arie had geen diploma's, maar dan ook echt helemaal niks.

Hij vond in ieder geval dat ze niet zo moesten zeuren, ze konden gewoon zijn uitkering overmaken, dat geld hoefden ze heus niet uit eigen zak te betalen.

Ondertussen was het zeven uur geworden, ik begon honger te krijgen en Arie zag er niet uit of hij vanzelf zou vertrekken, dus ik gaf een hint.

'Ik denk dat ik zo maar eens ga koken,' zei ik.

Arie knikte afwezig.

'Jij zult toch ook nog moeten eten.'

Weer knikte Arie en toen was het stil.

'Dan ga ik naar de keuken,' zei ik.

Arie keek me aan.

'Eet je mee?'

Het was eruit voor ik er erg in had.

Arie schoot rechtop en hij knikte levendig. Als iemand zo intens blij is, lijkt het of dat met een vonkje op je overspringt, mijn kruin tintelde ervan. Even was hij zijn zorgen over de sociale dienst vergeten en dat kwam door mij.

Arie at met grote happen. Ik had mijn bord nog niet half leeg, toen hij het zijne al van zich af schoof en zo'n beetje achterovergeleund op zijn stoel na zat te hikken. Hij deed zijn armen achter zijn hoofd, rekte zich uit en gaapte. Hij rook best wel naar zweet. Ik probeerde het niet te ruiken, ik probeerde zelfs even te doen of hij er niet was, maar dat ging niet, want zijn stem trok de aandacht. Als ik klaar was, mocht hij de resten uit de pan dan hebben? Voor de hond. Als ik ook wat oud brood had, kon hij iets lekkers maken.

Eigenlijk had ik de hele tijd al een beetje zweet geroken, maar nu ik me ervan bewust was, verdween de geur niet meer uit mijn neus. Zelfs terwijl hij in de keuken de hond te eten gaf, bleef het in de kamer hangen. Ik stak wierook aan.

Snuffend kwam Arie de kamer binnen, vragend keek hij me aan.

Wierook, legde ik uit. Ik had het aangestoken omdat ik dat lekker vond, dat deed ik wel vaker zo tegen de avond. Ik liet het zo vrijblijvend mogelijk klinken, om voor Arie geen ongemakkelijke situatie te laten ontstaan. Maar er ontstond geen ongemakkelijke situatie, integendeel, Arie reageerde enthousiast. Hij vond het lekker.

'Want weet je wat het is? Ik stink van onder mijn oksels, ik heb er zelf bijna last van.'

'Dan moet je gewoon wat vaker douchen.' Het kwam er kattiger uit dan ik bedoeld had. Als ik geïrriteerd ben, probeer ik me meestal in te houden, omdat mensen ervan kunnen schrikken.

Maar Arie schrok niet. 'Dat wil ik wel, mag dat?'

Ik wilde niet dat hij ging douchen, maar in zo'n situatie kun je moeilijk nee zeggen. Ik had het zelf min of meer aangeboden. Wat maakte het uit dat hij even douchte? Daarom bracht ik hem naar de badkamer.

Zodoende zat ik met die vieze hond in mijn kamer en wachtte. Wat doe je op zo'n moment? Dan ga je niet lezen, geen tv kijken, ik kon daar de rust niet voor vinden. Ik kon ook niet afwassen, want daar had ik warm water voor nodig en dan werd de douche koud. Daarom begon ik maar wat op te ruimen.

Hij bleef best lang onder de douche. Ik durfde niet te gaan kijken, maar uiteindelijk werd de kraan dichtgedraaid. Daarna duurde het weer lang voor hij eindelijk mijn kamer binnenkwam.

Ik schrok me wild toen de deur openging.

Arie droeg mijn kamerjas.

Niet dat dat zo erg was, het zag er eigenlijk best vertrouwd uit: dat hoofd waar ik de afgelopen uren tegenaan had gekeken in mijn donkerrode, warme kamerjas. Ik schrok omdat ik het niet had verwacht. En ook omdat hij het niet gevraagd had. Maar waarschijnlijk schrok ik vooral omdat ik aanvoelde dat hij die avond niet meer zou weggaan. Zeker toen hij uitlegde dat hij zijn kleren onder de douche had opgefrist.

'Ze stonken, dus ik heb ze maar gewassen en ja... nu hangen ze te drogen,' zei hij. Hij had er vooraf niet bij stilgestaan dat je natte kleren na het wassen niet onmiddellijk weer kunt aantrekken. Zijn ogen schoten van links naar rechts alsof hij zelf probeerde te begrijpen hoe het zover had kunnen komen.

Ik kreeg het er benauwd van.

'Het is wel goed, het droogt wel,' mompelde ik.

Een vreemde man in je huis die opeens je kamerjas draagt, kan ongemakkelijk zijn. Vreemd was hij dus zeker, maar niet eng, hij stond daar weerloos en zocht met zijn ogen de vloer af. Opeens keek hij me aan en brak er een lach door op zijn gezicht alsof hij heel blij was mij te zien. Ik ging bier halen en toen ik met de flesjes terugkwam, lag hij onderuitgezakt in mijn stoel en keek dromerig naar buiten. De hond lag aan zijn voeten.

Ik houd niet van mensen die op hun strepen staan, ze zijn onaangenaam en lelijk en ik kan het niet. Ik ging in de schommelstoel zitten.

Morgen zou ik slimmer zijn.

3

Ik schrijf het maar gewoon. Ik schrijf alles wat in me opkomt,
dan kan het toch nooit 'fout' zijn? Iets wat diep van binnen
komt, kan toch niet 'verkeerd' zijn?

Eigenlijk gek dat ik me daar zorgen over maak. Als het goed
was, dan ging alles een beetje vanzelf, maar ik heb steeds het
gevoel dat ik het moet uitleggen, omdat ik anders verkeerd
begrepen word. Ik vraag me weleens af waarom het leven niet
meer zo makkelijk is als vroeger. Maar goed, jij hebt waarschijnlijk heel andere dingen aan je hoofd. Wat ik soms wel
jammer vind, is dat ik geen idee heb welke dingen dat zijn.

We hadden het gister nog over je, papa en ik. Hij maakt zich
over jou niet zo veel zorgen. Zijn optimisme is heel fijn, ik heb
er veel aan, misschien heb ik dat wel een beetje nodig, als
tegenwicht. Ik moet juist niet de modder in worden getrokken,
dat is misschien wat er soms fout gaat tussen jou en mij. En dat
verlamt, dan kom je niet verder. Dus ik ben blij met de houding
van papa, maar ik weet ook dat zijn blik wat oppervlakkiger is,
zoals dat meestal bij optimisten het geval is. Ik weet dus dat ik
dat ook weer moet relativeren, dat hij ook luchtig doet, zodat
hij er verder niet over hoeft na te denken. Ik weet dat mijn
zorgen niet uit de lucht komen vallen, ik verzin het niet, het zijn
van die subtiele signaaltjes die ik oppik. Ik kan het hem niet
goed uitleggen, hij vindt het al snel gezeur, hij denkt dat ik zo

mijn hoofd op hol breng, dus dan zeg ik er maar niets meer over. Maar ondertussen weet ik dat het niet goed is.

Papa heeft de ramen geschilderd, boven in jouw oude slaapkamer vond hij een kozijn dat al begon te rotten. Dat moeten we goed aanpakken, zei hij. Daar moet je niet zomaar overheen schilderen, dat moeten we eruit hakken en vullen met vloeibaar hout. Het is de vraag of dat nog kan in dit stadium, maar als we dat nu niet doen kan het later al helemaal niet meer, dan moet er een heel nieuw kozijn in en dat is vele malen duurder en ingrijpender. En dus zitten we eventjes met een raam dat we niet kunnen sluiten. Nu durf ik niet goed weg. Maar papa gaat het morgen maken, heeft hij beloofd.

Ik weet niet waarom ik je dit vertel. Misschien wel om te verklaren waarom ik niet kan langskomen, hoewel ik heel graag wil weten hoe het met je is. Ik weet dat dat niet de bedoeling is, maar toch, ik ben je moeder. En misschien vertel ik het ook wel omdat ik het veelzeggend vond: je moet het aanpakken voor het erger wordt, omdat het anders doorrot. En dat de oplossing dan altijd moeilijker en ingrijpender wordt.

Weet je wat ik me afvraag? Hoe het kan dat je zoiets niet ziet, dat je er heel lang overheen kunt kijken en dat als je het ziet, het verandert, dan kun je het niet níét meer zien.

Ik heb hier trouwens nog een doos met spullen van je staan: kleren die je niet hebt meegenomen, boeken, tekeningen en allerlei speelgoed. Ik weet niet goed wat ik ermee moet, als jij het niet komt ophalen, moet ik het toch een keer wegdoen, want we hebben niet zo veel ruimte op zolder. Oude troep, daar moet je vanaf, anders groeit het huis dicht. Ik begin daar last van te krijgen, ik wil opruimen, me van dingen ontdoen, zodat er ruimte komt voor iets nieuws. Ik wacht het nog wel even af hoor, maar als je het niet komt halen doen we het weg.

O, ik hoor papa thuiskomen. Wat is hij vroeg.

4

Arie had het geen enkel punt gevonden om de stoelkussens op de grond te leggen en daarop te slapen, maar als hij bij de stoelen was gaan liggen, lag hij dicht bij mij. Daarom had ik snel het luchtbed tevoorschijn gehaald en naar de andere kant van de kamer gesleept, dicht bij de balkondeuren. Het luchtbed had ik zelf opgeblazen, min of meer omdat ik niet wilde dat hij dat deed. Want dan zou zijn adem in het matras komen en dat zou de kamer weer instromen als hij zelf vertrokken was. Ik blies zo stevig door dat ik er duizelig van werd. Daarna gaf ik hem een kussen en een slaapzak, daar was niets aan te doen.

Zelf sliep ik in een alkoof voor in de kamer. Ik weet niet of het echt een alkoof was of eigenlijk een uit de kluiten gewassen kast, maar mijn bed paste erin. Normaal liet ik de deur open, zodat ik feitelijk in een hoekje van de kamer sliep, maar deze keer deed ik hem dicht.

Aanvankelijk hoorde ik niets, daarna hoorde ik de hond die lag te snuffen, te piepen en te kreunen. Ik trok de deur verder dicht, wat nog moeilijk was, want hij was een beetje kromgetrokken. Dat leek te helpen, maar later hoorde ik Arie. Niet hard, maar toch, hij snurkte door de deur heen.

Als je je ergens druk over maakt, slaap je vanzelf niet goed. Af en toe sluimerde ik, dan werd ik weer wakker. Hoelang doet een spijkerbroek erover om te drogen? Een paar dagen? Op zijn minst. Als hij in een vochtige badkamer hangt, kan het meer dan een week duren. De volgende dag zou hij in geen geval draagbaar zijn. En een T-shirt kon je na een paar uur op de verwarming wel aan, maar dan moest het niet kleddernat zijn. Ik had het natuurlijk moeten uithangen, net als zijn trui, maar toen ik in de badkamer stond vond ik dat te veel service. En Arie zou heus niet dagenlang in mijn kamerjas blijven rondlopen, dat zou hij zelf ook wel aanvoelen. Hij zou wel iets bedenken. En anders zou ik hem dat zeggen, het lag allemaal zo voor de hand, daar hoefde ik me helemaal niet zenuwachtig over te maken. Ik probeerde me rustig te voelen en uiteindelijk viel ik weer in slaap.

's Ochtends stond ik meteen op. Ik barstte van de daadkracht, maar had zware benen en een hoofd vol watten. Ik liep gelijk naar de achterkamer, naar de slaapzak die met de regelmatige beweging van zijn ademhaling op en neer ging, er stak alleen een warrig plukje bruin haar bovenuit. Wijdbeens stond ik erbij, maar er gebeurde niets.

Iemand wekken is zo'n daad, uiteindelijk wordt iedereen vanzelf wakker. Dat is altijd beter, dan krijg je geen gedoe en hoef je niets uit te leggen.

Ik maakte ontbijt, kwam de kamer binnen. Met een klap zette ik het blad met ontbijtspullen op tafel. Nu begon Arie te bewegen. Hij rekte zich uit, kroop uit de slaapzak, terwijl hij tegelijkertijd mijn kamerjas aantrok.

Ik voelde een rilling die begon bij mijn kruin en via mijn rug naar beneden zakte. Die kamerjas wilde ik terug.

Hij ging aan tafel zitten en met een brede grijs zei hij: 'Lekker ontbijtje, dit is wat je noemt luxe.'

Ik weet dat hij het niet slecht bedoelde, maar ik bedacht dat ik beter een paar boterhammen in de keuken had kunnen eten, stiekem, zodat Arie honger zou krijgen en snel zou vertrekken.

'Geef mij de kaas eens door?' vroeg Arie. 'Zelf heb ik nooit kaas.'

Ik keek naar zijn gekreukte gezicht, rook de slaapgeur die nog om hem heen hing. Opeens zei ik: 'Straks ga je toch zeker wel?'

'Ja ja,' zei Arie.

Mijn opmerking leek misplaatst, hoe kon ik denken dat hij iets anders van plan was?

In tegenstelling tot het avondeten at Arie langzaam. Hij at ham, pindakaas en jam, maar vooral van de kaas kon hij geen genoeg krijgen. En de pot koffie dronk hij helemaal leeg. Uiteindelijk was hij klaar.

'Zo,' zei hij en sloeg met zijn handen op tafel. 'Dan ga ik maar eens.'

Ik zette de ontbijtspullen op het blad, ging ermee naar de keuken en deed de afwas. Weer in mijn kamer zat Arie nog precies zo op zijn stoel als ik hem had achtergelaten, alsof de stroom er even was afgehaald. Zodra hij me zag begon hij te bewegen, hij grijnsde, gaapte en rekte zich uit.

'Zooo,' zei hij. 'Nou...'

'Ja...' zei ik en bleef staan.

'Ik ga nog even douchen als je het niet erg vindt.'

'Als je die kamerjas maar droog houdt,' zei ik.

Arie kromp in elkaar, bracht zijn handen naar zijn gezicht als een eekhoorntje dat aan een eikeltje knabbelt en proestte alsof hij het een geweldige grap vond.

We keken elkaar aan en even was het of we goede vrienden waren.

Grijnzend stond hij op en ging naar de badkamer.

Ik ging nu niet meer op Arie zitten wachten, ik wilde gewoon wat gaan lezen, hij was bijna weg, ik had de kamer bijna weer voor mezelf.

Ik liep naar mijn stoel, maar opeens begon de hond te janken en zenuwachtig heen en weer te lopen. Als hij honger had, moest Arie hem maar voeren. Maar het kon best zijn dat hij moest pissen of erger. En daar wachten honden niet mee. Ik liep naar de deur, zenuwachtig dribbelde hij achter me aan. Hij was sinds gisteren niet meer buiten geweest. Snel ging ik de trap af. Zodra ik de deur opendeed, stoof hij er jankend langs en stortte het trapje bij de voordeur af.

In onze straat heb je van die bomen die in zo'n groen perkje staan. De huizen hebben geen voortuinen, maar omdat er altijd mensen zijn met een niet te onderdrukken neiging tot tuinieren, mogen ze een stukje adopteren. Dat is officieel: ze mogen er dan plantjes in zetten en ervoor zorgen. Waarom er zoiets ingewikkelds voor nodig is als adoptie begrijp ik niet, maar het was zo wel duidelijk wie de baas over zo'n stukje grond is, zo voorkom je ruzie.

Behalve op dit soort momenten, want precies in het perkje dat de buren hadden geadopteerd en liefdevol verzorgden, daar ging die hond zitten. Voor de zekerheid deed ik een stap naar achter de donkere gang in. De hond zat me dom aan te kijken, daarna dreven zijn bange ogen af, terwijl hij zijn achterlijf kromde. Hij ontspande weer, keek nerveus om zich heen, schopte met zijn achterpoten het perkje door elkaar en stoof weer naar binnen.

Arie stond nog altijd te douchen. Ik ging in mijn stoel zitten, pakte mijn boek en begon te lezen. Nadat ik vijf keer achter elkaar dezelfde zin had gelezen, stopte de douche. Arie deed lang over het afdrogen en aankleden, pas na een dikke tien minuten hoorde ik hem in de gang.

De deur ging open en daar stond hij.

Alsof de veren uit de stoel in één klap door de bekleding waren gedrongen en zich in mijn rug boorden, veerde ik overeind.

Hij droeg nog steeds mijn kamerjas.

Hulpeloos hief hij zijn handen op. 'Mijn kleren zijn nog nat.'

'Ja!' riep ik. 'Dat dacht ik al.'

Arie zag eruit of hij zich erbij ging neerleggen.

'En nu?' vroeg ik.

'Nu moeten ze nog wat drogen,' zei hij.

'Waar hangen ze dan?'

Ik zei dit hard en keek hem recht aan. Arie maakte een afweerbeweging, maar ik bleef hem aankijken.

'Nou?' zei ik.

'In de badkamer,' zei Arie.

'Dan worden ze dus nooit droog.'

'Maar ja...' zei Arie. 'Ik weet niet waar ze anders... enne...'

Ik stond op en liep stampend naar mijn deur. Arie bewoog niet, hij knipperde niet eens met zijn ogen. Alleen de onderbuurvrouw zou hier last van hebben.

Zijn kleren hingen over de douchestang, ze waren er door het douchen niet droger op geworden.

Ik wrong zijn spijkerbroek uit tot mijn handen er pijn van deden en smeet hem op de grond. Met het T-shirt en de trui was ik voorzichtiger, die had ik echt gemold als ik die zo te grazen had genomen. Ik hing zijn kleren over het droogrekje in de gang. Behalve de onderbroek: die pakte ik bij een puntje vast en gooide ik in de hoek van de badkamer. Ik waste mijn handen en ging daarna zelf douchen, dat werd tijd. Het warme water gleed over mijn huid, kletterde op de vloer, zorgde voor een ondoordringbare mist in de kleine badkamer.

Als je boos op iemand bent en in een vlaag van woede zegt wat je ervan vindt, dan heb je in één keer al je kaarten op tafel gelegd, dan weten ze hoe het zit en gaan ze in de aanval. Maar Arie ging niet in de aanval, in plaats daarvan zat hij in mijn stoel en las mijn boek. Hij keek vaag mijn kant op, knikte en las verder.

Ik ademde sneller.

'Arie...' begon ik.

Arie keek op, geen spoor van boosheid. 'Hij is nog nat, hè,' zei hij.

'Ja,' zei ik.

Hij knikte tevreden. 'Ik kon hem zo echt niet aantrekken.' Hij sloeg een bladzijde om.

Arie kon tegen een stootje, je kon tegen hem schreeuwen, even later was hij het weer vergeten.

'Maar Arie,' zei ik. Ik wees naar het boek.

Arie trok rimpels in zijn voorhoofd en wachtte.

'Ik wil dat graag...' zei ik.

Hij draaide het boek om en las de achterkant.

'Dat boek was ik aan het lezen en...'

Arie knikte langzaam of hij begon te begrijpen waar het boek over ging.

'En ik zou daar graag even willen zitten, in mijn eigen stoel.'

De rimpel verdween van Aries gezicht, hij grijnsde of hem opeens een licht opging. 'Aah, hij zit ook zo lekker.' Hij draaide op de zitting heen en weer, alsof hij zich dieper in de stoel wilde graven. 'Ik kan me voorstellen dat het je lievelingsstoel is.' Hij stond op en ging in de schommelstoel zitten en schommelde even. Toen keek hij me vrolijk aan. 'Maar deze zit ook lekker.' Hij gaf me mijn boek terug en stond op.

Soms droom je ervan dat er een engerd achter je aan zit, je vlucht tot je uitgeput bent en op het laatst, als je niet meer weet wat je moet doen, draai je je om. De engerd blijft staan en opeens voel je dat je groter en sterker bent dan je gedacht had. Met mijn boek op schoot keek ik naar Arie, die zacht schommelend naar buiten zat te kijken. Belachelijk, ik had het amper duidelijk gezegd, maar op een of andere manier had hij het wel begrepen, want hij deed precies wat ik wilde. Ik kon wel zingen.

Arie bleef die dag, we lazen en babbelden. Hij vertelde over zijn zwerftochten in de bossen. Ik wist niet dat je in Nederland zulke grote bossen had, maar Arie kon er dagenlang in verdwijnen zonder dat hij een mens tegenkwam.

Niet dat zulke bezoekjes altijd vervelend zijn, het is soms best gezellig, maar als het lang duurt en je praat al die tijd over niets, dan word je er doodmoe van. Daarom had ik zin om boodschappen te doen, dan kon ik even alleen zijn. Ik had mijn jas al aan en terwijl ik in mijn hoofd de deur al uit rende, ging ik de kamer in om Arie gedag te zeggen.

Hij stond glimlachend op uit de schommelstoel.

'Lekker een frisse neus halen, ik trek even wat aan.'

Ik keek door het raam alsof ik houvast zocht aan de huizen tegenover. 'Wat bedoel je?' vroeg ik.

'Vind ik leuk,' zei hij. 'Kan ik je helpen dragen.'

'Maar je kleren zijn nog nat!'

Arie draaide met zijn ogen, keek naar mijn bed, naar de plank met kleren die ernaast hing en toen keek hij naar mij. 'Misschien heb je een oude broek? Eentje die ik pas?' Hij wees naar mijn T-shirt. 'En die zou ik misschien passen, hij is best wijd.'

Ik sloeg mijn armen om me heen, alsof hij anders mijn T-shirt zou kunnen uittrekken. 'Nee!' riep ik. Ik dacht na. 'Ik hang je broek op een stoel voor de kachel en je kleren, dan drogen ze sneller...' Waarom had ik dat niet eerder bedacht? Maar het idee dat hij mijn kleren wilde hebben, maakte dat ik snel nadacht. 'Ik heb verder geen kleren voor je, daar worden ze wijd van,' zei ik. 'En het is geen gezicht.' Niet dat hij daarmee zou zitten, maar ik wilde het niet. Ik ging snel zijn broek, zijn T-shirt en trui halen, en hing ze over een stoel voor de kachel. 'Ga maar op mijn stoel zitten, lees mijn boek... ik jaag je nu niet weg.'

Peinzend keek hij naar mijn stoel, toen verlangend naar de straat. Hij knikte en ging zitten. Er ging een rilling door me heen, ik pakte mijn portemonnee en sleutels van de schouw, gooide ze in de boodschappentas en vertrok.

Buiten voelde ik de frisse wind in mijn gezicht. Blij dat ik buiten was, maar ook bezorgd. Ik keek om, mijn blik gleed langs de gevel omhoog naar mijn raam en daar stond hij. Hij grijnsde en zwaaide. Ik zwaaide terug. Ik hoopte dat hij mijn boek ging lezen en dat hij niet tussen mijn kleren zou zoeken of er iets was wat hem paste. Ik sloeg de hoek om, versnelde mijn pas, weg van het huis, weg van Arie, weg van alles.

Om bij de C1000 te komen moest ik naar rechts. Ik sloeg linksaf een wijk in. Ik dwaalde door de straatjes, keek de huizen binnen. Soms, als de bewoner in de kamer was, kruisten onze blikken, dan was het of ik even was binnengedrongen. Snel liep ik dan door. Ik dwaalde door het wijkje, stak de grote weg over en liep richting het stadhuis. Het was er rumoeriger en drukker. Bij de schouwburg stond ik stil. Ervoor ligt een groot grasveld, dat doorgaans leeg is. Je mag er niet overheen lopen, maar nu werd er een grote circustent neergezet.

Die tent herkende ik; theatergroep Cultuurgoed was in de stad.

Overal waren mensen bezig en opeens zag ik een kleine man met krullen lopen. Ik herkende hem, het was de zwerver in de voorstelling *Beste Vrienden*, Rense heette hij. Daarna zag ik achter bij de bus die aan de rand van het veld stond geparkeerd de junk lopen uit hetzelfde stuk. Het was twee jaar eerder, ik woonde nog thuis en pas tijdens het stuk had ik me gerealiseerd dat ik thuis weg moest. Thuis was het benauwd, hier begon het echte leven. Ik vond ze allemaal prachtig: de zwerver, de presentator, maar het mooist vond ik de junk. Ze was bleek, droeg witte kleren en rook sterk naar talkpoeder. Onder de lampen zag je soms een wolkje poeder opstijgen. Ze hoorde hier niet, was met haar hoofd heel ergens anders, sprak lijzig en trok zich verder van niemand iets aan. Het was of niemand haar iets kon maken, omdat ze er misschien fysiek wel was, maar verder niet. Ze was niet te bereiken.

Tijdens de voorstelling stond een vrouw uit het publiek op, ze maakte zich kwaad over iets en vond dat ze het zelf beter kon dan de acteurs. Ze klom over de tribune omlaag en bleek onderdeel van de voorstelling. Zo kreeg je het gevoel dat je zelf ook kon opstaan en meedoen, het was of je erbij hoorde. En als ik iets wilde, dan was het dat.

Maar na afloop moest ik met mijn ouders mee naar huis, ik liep achter hen aan naar de auto. Hoewel ik niet wilde, stapte ik in en plofte op de donkere achterbank, waar ik verscholen zat achter de stoel van mijn moeder. Ik gaf geen antwoord op haar vragen.

Ik stak het veld over zonder naar de acteurs te kijken, dat durfde ik niet, ik liep achter de schouwburg langs, via een parkje weer een andere wijk in. Pas uren later kwam ik thuis. Arie zat nog op mijn stoel te lezen, maar zodra ik erin wilde zitten, hoefde ik het maar te zeggen. Hij ging niet meer naar buiten, hij vermaakte zich goed. Zijn vinger hield hij bij de regel waar hij gebleven was.

Ik ging koken.

Ook 's avonds vroeg ik het boek niet terug.

Ik ben meer een kattenmens. Katten begrijp ik en zij begrijpen mij. En voor zover we elkaar niet begrijpen, hoeft dat niet, want we willen vooral met rust worden gelaten. Met honden is dat anders. Er is niets geheimzinnigs aan honden, ze geven alles meteen prijs. Als ze tegen je grommen, moeten ze je niet. En als ze je wel moeten, laten ze je dat nog duidelijker merken. De hond van Arie was daar geen uitzondering op en die was behoorlijk vies. Het liefst zou ik dat hele beest verzwijgen, maar hij was er en hij speelde een niet onbelangrijke rol.

Ik had slecht geslapen, was 's ochtends opgestaan en meteen naar de keuken gegaan. De hond was achter me aan gekomen. Hij ging in de hoek zitten, keek me dom aan en kromde zijn rug. Daarna rook ik het. Ik was nog niet klaar met opruimen toen hij zijn poot tegen de kastdeur optilde.

'Stop daarmee!' gilde ik.

Hij stopte.

Ik liep langzaam naar hem toe terwijl ik mijn armen spreidde en dreigend begon te vloeken.

Net als in een tekenfilm begonnen zijn poten eerst te bewegen, pas daarna kreeg hij grip en vluchtte hij langs me de gang in. Hij stoof van links naar rechts, zijn nagels tikten op de vloer, zijn poten gleden weg, maar hij bereikte de trap en roffelde naar beneden. Ik rende hem achterna. Huiverend drukte hij zijn lijf tegen de deur, terwijl ik hem al vloekend insloot. Met zijn smekende hondenogen keek hij naar me op. Ik greep hem bij zijn nekvel en opende de buitendeur, schoof de trillende zak botten over de drempel en knalde de deur dicht.

Terwijl ik de trap opliep voelde ik zijn rillende lijf nog tegen mijn schenen, ik voelde de dunne huid tussen mijn vingers, zag hoe die over het skelet spande. Boven aan de trap stond ik stil. Ik luisterde niet meer naar het gejank bij de voordeur, want ik zag een natte plek op de vloer met een kledder erin. Met grote passen liep ik naar de keuken.

Ik poetste de keukenvloer, daarna het parket in de gang en toen nogmaals de keukenvloer. Nog nooit had ik zo lang mijn handen gewassen als daarna. Ik draaide de kraan dicht, die ik ook afpoetste, maar mijn handen voelden nog steeds smerig. Het enige wat ik kon doen was er niet meer aan denken, hier was geen zeep tegen opgewassen. Ik had geen honger, maar ik pakte de ontbijtspullen bij elkaar en ging naar de kamer.

Arie lag nog te slapen. Ik liep naar hem toe, bracht mijn hoofd dicht bij het zijne en riep keihard dat hij wakker moest worden.

De slaapzak sidderde.

'Je hond heeft in de keuken gekakt,' zei ik. 'En ook in de gang.'

Arie keek of hij me niet herkende.

'En hier is het ontbijt.'

Ik sloeg met mijn hand op tafel.

'Waar is hij nu?' vroeg hij.

'Buiten.'

Opeens stonden Aries ogen helder. Hij zat kaarsrecht in bed voor zich uit te kijken. Hij gleed snel in de kamerjas en was de kamer al uit.

Met de hond van Arie was niets gebeurd, hij was te schijterig om onder een auto te komen. Hij had de hele tijd dicht tegen de deur zitten kermen. Binnen no time kwam Arie weer met hem binnen.

'Als je hem wilt uitlaten, kun je er het best even bij blijven staan,' legde hij uit.

'Maar ik wílde hem niet uitlaten,' riep ik. 'Ik wilde alleen dat hij niet in huis kakte.' Ik zei het behoorlijk hard, alsof Arie niet pal tegenover me stond. 'En hij moet het helemaal niet in de perkjes doen, straks heb ik met iedereen ruzie en dan weet ik niet meer wat ik moet.' Ik snikte en trilde als de hond toen die over de drempel werd geschoven. 'Trek je kleren nu maar aan. Ze zullen nog niet helemaal droog zijn, maar je kunt er wel mee naar huis. Je moet de hond maar onderweg uitlaten, ik wil niet dat hij het binnen doet, zo is het gewoon.'

Arie sperde zijn ogen open. 'Het spijt me heel erg van de hond en van de keuken. Echt heel erg. Het zal niet meer gebeuren.' Hij stond daar ingezakt voor me, zijn buik puilde vooruit en hij keek net zo bedroefd als ik me voelde.

'Trek je kleren nou maar aan,' zei ik. 'Alsjeblieft.'

'Ja...' zei Arie, 'maar eh...'

Je ziet het aan iemands ogen als hij nadenkt, dan kijken ze nog wel maar toch ook weer niet. Daarop ging Arie naar de badkamer.

De hond hield mij ondertussen nerveus in de gaten. Hij kon elk moment wegstuiven. Logisch dat hij me niet meer mocht, hij vond me iemand om ver uit de buurt te blijven, dat hoefde ik me niet aan te trekken. Ik mocht hem toch ook niet? Ik werd bijna beroerd van het beest. Ik liep met een boog om hem heen, maar hij stoof naar de andere kant van de kamer. Je kunt iemand niet mijden als die jou harder mijdt. Ik ging voor het raam staan, ik voelde me bleek en lelijk.

Vrij snel stond Arie voor me. Hij had zijn kleren aan en rilde. Het leek of hij niet begreep wat er met hem gebeurde, dat hij het alleen maar koud had.

'Eet nog wat,' zei ik.

Als je iemand dwingt om natte kleren aan te trekken om hem dan naar buiten te sturen, dan moet je wel hard zijn. Iedereen lijkt er altijd van overtuigd dat hij het goede zal doen als het erop aankomt. Maar dat kan niet waar zijn. Hoe kan het anders dat er in de loop van de geschiedenis zo vaak voor de verkeerde kant wordt gekozen?

'Moet ik kijken of ik nog wat kleren voor je heb?' vroeg ik.

'Het droogt wel,' zei Arie. Hij was weer aan tafel gaan zitten, pakte een boterham en bleef rillen.

'Als je zo naar huis gaat en een beetje doorloopt, word je vanzelf warm,' zei ik. 'En dan kun je snel iets droogs aantrekken.'

'Ja, maar weet je wat het is?' Arie nam een grote hap en kauwde daar lang op. Hij slikte de hap door. 'Want dat moest ik nog zeggen...' Weer nam hij een hap en hij kauwde. 'Dat zal niet gaan.'

Hortend en stotend kwam het eruit. Het probleem was dat Arie geen huis meer had, hij was er zo'n beetje uitgezet, zo kon je dat gerust noemen. Nu was dat buitenzetten niet letterlijk gebeurd, het was meer dat hij er niet in kon. Ze hadden een nieuw slot in de deur gezet, zijn sleutel paste niet meer. Ter illustratie haalde hij zijn sleutel tevoorschijn en legde die op tafel. Voor zover hij de correspondentie had gevolgd, was dit de maatregel waarmee ze al enkele maanden hadden gedreigd. De huurachterstand was inmiddels flink opgelopen. Daar had hij verder niets aan kunnen doen, betalen zat er voorlopig niet in. Zeker niet met die strafkorting die hij op zijn uitkering had gekregen.

Arie was klaar met eten, veegde de kruimels van zijn hemd en stond op. In gedachten liep hij naar mijn stoel en plofte erin. Hij zag er erg verdrietig uit.

Ik ging weer tegenover hem in de schommelstoel zitten.

Nu had hij niets meer, ging hij verder. Al zijn spullen stonden op zijn kamer. En daar aanbellen om nog iets op te halen deed hij liever niet, dat was het risico niet waard. Het geld dat hij nog moest betalen was veel meer dan wat hij nodig had om zijn spullen te vervangen. Hij rekende daarbij wel een beetje op geluk, maar dat had hij altijd wel gehad. Zijn bank, zijn tafel, een paar eetstoelen... die had hij immers op straat gevonden. Een vriend had hem een matras afgestaan, hij had zelf een bed in elkaar getimmerd, er was altijd wel iemand met een hamer, het ging eigenlijk vanzelf. Het was zelfs zo dat hij het meeste dat hij op straat tegenkwam niet meenam. Hij had prachtige kasten laten staan, omdat hij er geen plek voor had. Elke eerste maandag van de maand werd het grofvuil buitengezet en als je een beetje ging rondstruinen, wist je niet wat je zag. Maar ja, dan had hij wel eerst woonruimte nodig.

En dat was dus het probleem.

De biecht leek hem goed te doen, hij leunde achterover op mijn stoel.

'Vervelend,' zei ik. 'Maar ja...'

Hij knikte. Zijn blik gleed door het raam naar de huizen aan de overkant.

'Wat nu?' vroeg ik na een tijdje.

Langzaam schudde hij met zijn hoofd. 'Een paar dagen,' zei hij. 'Meer heb ik niet nodig, na een paar dagen heb ik alles geregeld.'

Wat ging hij doen? Wat dacht hij in een paar dagen voor elkaar te krijgen? 'Hoe...' begon ik.

Hij leek het niet te horen. Dromerig keek hij naar buiten en hij zei: 'Weet je dat het heel aardig van je is wat je voor me doet? En ook belangrijk? Je bent heel goed, weet je dat?' Hij keek naar mij. 'En ook leuk trouwens.' Hij lachte.

Als iemand je zo aankijkt en iets zo vol overtuiging zegt, dan geloof ik dat. Dat is raar, want als ik erover nadenk weet ik dat het niet klopt. Eigenlijk weet ik het ook zonder erover na te denken. Maar hoewel ik het dus weet, overkomt het me steeds weer: als iemand me oprecht aankijkt en iets zegt, al is het de grootste onzin, dan vergeet ik alles en geloof ik op dat moment wat hij zegt.

5

Weet je wat het is, lieverd? Als ik maar niets van je hoor, vraag ik me soms af hoe het met je gaat. Dan vraag ik me af of er iets is. Ik maak me ongerust soms, maar toch laat ik je met rust, omdat ik geloof dat dat het beste werkt bij jou. Het is voor mij heel erg zoeken hoor, hoe ik het goed kan doen voor jou. Dat heb ik eigenlijk altijd moeilijk gevonden, al vanaf toen je een baby was. Hoe moest ik je verzorgen?

Op het consultatiebureau zeiden ze dat het vanzelf wel zou komen.

Maar er kwam helemaal niets vanzelf.

Ik moest mijn intuïtie volgen, zeiden ze. Maar wat is dat, intuïtie?

Papa legde uit dat het intuïtie is als je gevoel je ingeeft dat je op het goede spoor zit, dan hoef je niet te redeneren.

Maar hoe weet je dat het intuïtie is en geen dwaalspoor?

Ze zeiden dat als je honger had, ik dat aan het huiltje zou horen. Maar ik hoorde niets aan je huiltje, ik hoorde gewoon een huilende baby en daar werd ik zenuwachtig van, want ik wilde dat het ophield. Dan keek ik hoe laat het was en als je volgens het schema eten moest hebben, gaf ik je eten. Ik moest je een bepaalde hoeveelheid melk geven, ik gaf je de fles, want de borstvoeding kwam niet op gang.

Dat kon gebeuren, bij sommige moeders komt het niet op

gang en de fles was een prima alternatief, hadden ze op het consultatiebureau gezegd, dus ik gaf je de fles. Volgens het schema moest je 60 cc hebben. Dat dronk je op, maar daarna boerde je de helft weer uit.

Ik zei dat je het niet opdronk, dat je het meeste er weer uitspuugde en dat mijn intuïtie zei dat dit niet goed was, dat mijn intuïtie zei dat je gewoon die 60 cc moest drinken, zoals het schema voorschreef. Maar dat was geen goede intuïtie, zeiden ze. Ik moest me ontspannen. Dat was precies mijn probleem: hoe weet ik wanneer mijn intuïtie spreekt en wanneer moet ik me ontspannen?

Als het geen etenstijd was en je huilde, dan maakte ik je luier los, maar als je schoon was, wist ik het niet meer.

Ik legde op het consultatiebureau uit dat je een huilbaby was omdat je huilde. Maar op dat moment huilde je niet, dus zeiden ze dat je geen huilbaby was, dat je alleen een beetje schrikachtig was. Dat het verder normaal is als een baby af en toe huilt, dat je misschien krampjes had.

Maar hoe wist ik of je krampjes had? Aan jou kon ik het niet vragen. En bovendien: wat is af en toe?

Papa legde uit: af en toe is niet voortdurend, maar met enige regelmaat. Het is niet zelden, het is gewoon af en toe en ik moest me er verder maar niet druk over maken.

Soms als je huilde, haalde ik je uit de wieg en als papa er was, wilde ik je weleens aan hem geven, omdat ik er radeloos van werd.

Maar dan nam hij je niet aan, hij zei dat ik het maar moest doen, omdat ik er beter in was. En dan zei hij dat je waarschijnlijk gewoon moe was en dat er niets aan de hand was, dat ik je maar moest troosten, dat het nu eenmaal zo ging met baby's.

Je hoort altijd dat het automatisch gaat. Volgens mij is dat de bedoeling, maar bij mij was dat niet zo. De geboorte was verschrikkelijk, het deed ontzettend veel pijn, dat is me altijd bijgebleven.

De dokter vond dat ik verkrampt was en dat ik me moest ontspannen omdat ik het op deze manier tegenhield.

Maar het deed zo'n pijn.

De dokter zei dat als ik niet zou loslaten, het alleen maar meer pijn ging doen. Hij zei: laat het gebeuren.

Maar dat kon ik niet, omdat het zo'n pijn deed. Ik lag daar in bed, op mijn rug, de dokter die erbij stond en die zei dat ik moest loslaten, dat ik me moest ontspannen en persen. Maar dat kon ik helemaal niet, want als ik perste, verkrampte ik en dan kon ik me helemaal niet meer ontspannen.

De dokter luisterde niet, hij vond dat ik het gewoon moest proberen. Het leek wel of ik de baby wilde vasthouden.

Het duurde lang. En op een gegeven moment ontstond er paniek en werd de tang erbij gehaald.

De dokter zei: laat los. Zo kan ik er niet bij.

Vraag me niet hoe, maar uiteindelijk ben je geboren. Ik zal je de details besparen, maar het was verschrikkelijk. Ze lieten je zien. Maar de navelstreng moest eraf, je moest nog gewogen worden, ze moesten je nakijken en testen en wassen. En ik was moe en ellendig en van onderen was het een bende.

Toen ze klaar waren met mij en ook met jou, bracht de zuster je bij me. Je lag doezelend in haar armen. Ze wilde je bij me leggen.

Ik wilde alleen maar weten of het goed was en het was goed, je was zo gezond als een vis. De zuster straalde en wilde je bij me leggen. Maar je sliep al bijna. Ik zei dat je wel moe zou zijn en dat ze je maar in je wiegje moest leggen. Ik was ook moe.

De zuster drukte jou tegen zich aan en bleef zo even staan zonder iets te zeggen.

Ik bleef zeggen dat ze je maar in je wieg moesten leggen, omdat het erin hakt en dat we allebei moe waren en dat we allebei even moesten bijkomen.

Ik was blij dat alles goed was, ik was blij dat het achter de rug was, ik was blij dat ik het goed had gedaan.

6

Met een doffe klap sloeg de voordeur dicht. Mijn schommelstoel haperde. Aries blik flitste naar mij, hij zat rechtop in mijn stoel.

Op mijn verdieping bevond zich nog een kleine kamer, die van Maaike was, een schrikachtig meisje met rood haar. Ze was zelden thuis en als ze er was, hoorde of zag je haar niet. Ze kwam bijna nooit in de keuken en naar de wc of badkamer ging ze alleen als ze dacht dat ze niemand zou tegenkomen. Omdat ze dat nooit voor honderd procent kon inschatten, zag je haar af en toe door de gang sluipen. Ze deed alles geruisloos, dus de deur die dichtklapte, de zware voetstappen op de trap, die konden niet van Maaike zijn. Tilly was thuisgekomen. Als Tilly niet op vakantie was, woonde ze boven.

Ze was de hoofdhuurder, wat erop neerkwam dat als we gelijktijdig bij de wc aankwamen, zij voorrang had. Zij was degene die had besloten dat ik de kamer kon krijgen. Om ervoor in aanmerking te komen, was ik bij haar op gesprek geweest, Maaike had ik toen niet gezien. Tilly vroeg me of ik van plan was kinderen te krijgen, want dan ging het niet door. Kinderen maakten lawaai.

Ik had geen plannen, ik had niet eens een vriend en ik wilde de kamer graag, dus ik zei dat ik niet piekerde over kinderen en dat ik waarschijnlijk onvruchtbaar was. Ze knikte tevreden, ze zou het doorgeven aan de huisbaas, ze wist zeker dat ik er zo kon intrekken, maar dan moest ik wel snel zijn.

Nu was Tilly na ruim een maand weer thuisgekomen. Dat ze op

vakantie was, mocht je overigens niet zeggen. Het was meer een werkbezoek, had ze weleens uitgelegd. Ze ging naar Portugal, waar een boot van Greenpeace lag om te worden opgeknapt. Ik weet niet wat ze daar deed, hier in huis had ik haar nooit met een verfkwast of hamer gezien, maar ze was 'erbij betrokken', zoals ze het noemde. De vrijwilligers wilden de boot in alle kleuren van de regenboog schilderen, maar Tilly had hun uitgelegd dat je de boot in de oorspronkelijke kleuren moest overschilderen, want die pasten erbij. Daarop zeiden de anderen dat ze dan gingen stemmen. En Tilly zei dat ze best konden stemmen, maar dat dat geen zin had, omdat zij haar veto zou uitspreken, aangezien de oorspronkelijke kleuren niet voor niets waren gekozen en dat iedereen die er een beetje verstand van had, dat zou inzien. Nu hoorden we haar zware voetstappen over de gang klossen en de trap op gaan. Boven zette ze dreunend haar koffers neer, stommelde van de ene kamer naar de andere en uiteindelijk werd het stil.

'Dat is dus Tilly,' zei ik en wees naar het plafond.

Arie knikte vaag en vroeg niets. Hij zakte onderuit in mijn stoel en verloor zich in gepeins.

Net als ik.

Ik had steeds het idee gehad dat Arie ieder moment kon vertrekken, dat als zijn kleren droog waren, hij zou opstaan en met de hond naar buiten zou gaan. Nu bleek hij geen huis te hebben en hij zat daar omdat hij nergens anders heen kon. Ik wist het even niet meer. Maar zoiets niet weten was geen optie. Niet nu Tilly er weer was.

Tilly vond dat als je met elkaar samenwoonde, je ook rekening met elkaar moest houden. Dus als je logés had, moest je dat even tegen haar zeggen, zodat ze in haar eigen huis niet opeens wildvreemde mensen tegen het lijf zou lopen. Het was duidelijk dat ik haar zo snel mogelijk over Arie moest vertellen. Maar als ze net thuis was, kon je haar juist beter met rust laten. En erger: ik wist niet wat ik haar over Arie moest vertellen. Op de vragen die ze zou stellen, had ik geen antwoord. En als ze ergens een hekel aan had, dan was het aan mensen die haar vragen probeerden te ontwijken.

Met moeite werkte Arie zich uit de stoel en slofte naar de deur, terwijl hij uitgerekend nu even in mijn kamer moest blijven.

'Arie...' zei ik.

Hij mompelde iets.

'Arie!'

Maar hij was de gang al in gelopen.

Ik hoorde hem naar de wc gaan.

Van ergernis stampte ik op de vloer, de schommelstoel maakte een zwieper naar achter, op het hoogste punt bleef ik even hangen, zwaaide weer naar voren en kwam uiteindelijk in de normale cadans. Van stress ga je sneller nadenken. Tilly zat op haar kamer, ik moest nu de beste strategie bepalen. Misschien moest ik eerst met Arie praten, hij zou echt nog wel andere vrienden hebben bij wie hij even terechtkon. Omdat Tilly dus een ander verhaal was. Ik moest hem om te beginnen maar eens heel precies vertellen wie Tilly was en hoe ze in elkaar stak.

Op dat moment hoorde ik haar de trap afkomen. De wc spoelde door, Tilly kloste door de gang en opeens stond ze stil.

Soms kun je even niets doen. Dan denk je bijvoorbeeld dat je een dodelijke ziekte hebt, je bent bij de dokter geweest en die heb je later nog een keer gebeld, maar aan de telefoon klonk hij nog geïrriteerder dan hij al was, zodat je niet nog een keer durft te bellen, hoewel je je zorgen maakt. En omdat je verder niets kunt doen, ga je zitten wachten. En dat is slopend, je zit daar maar en je gaat steeds na of je iets voelt – of hoort, zoals in dit geval – en het ergste is dat het nooit goed is. Want hoor je niets, dan vind je dat geen best teken. Maar hoor je wel iets, dan versta je het niet, je hoort alleen de stemmen. De stem van Tilly klinkt kalm, maar dat zegt niets, want Tilly blijft altijd kalm. Dus je luistert verder, maar je hoort niets meer. En het ergste is nog wel dat het lang duurt.

Heel lang.

Eindeloos.

Er werd aan de deur gerommeld, de klink ging langzaam naar beneden, veerde omhoog en zakte langzaam weer omlaag. De deur schoot uit het slot en Arie werd zichtbaar. Hij hield een dienblad in zijn handen met een pot thee erop en grijnsde van oor tot oor.

'Thee,' zei hij. 'Ik moet je iets vertellen.'

Hij zette het blad tussen ons in, zelfs aan mijn koekjes had hij gedacht, hij had de rol opengebroken en de inhoud op een schoteltje gestort. Met een gul gebaar hield hij me het schoteltje voor. Met de duimnagel met rouwrand duwde hij uitnodigend een koekje naar voren.

'Geen honger,' zei ik.

Arie vond Tilly een tof wijf. Hartverwarmend. Hij was haar in de gang tegengekomen en ze had hem blij verrast gevraagd wie hij was. Arie was er absoluut van overtuigd: ze had hem verheugd welkom geheten. Daarop waren ze samen in de keuken gaan zitten en toen had hij zijn hart bij haar uitgestort. Arie had een groot dilemma, vond ook Tilly. Hem op straat zetten was geen optie.

Zo kende ik Tilly niet, ik had haar nooit blij verrast gezien, hooguit licht verbaasd. Het beste wat mij kon overkomen was dat ze schouderophalend wegliep, roepend dat ze het allemaal best vond, zolang ik het maar zelf zou regelen. Misschien dat Arie dat bedoelde met hartverwarmend.

Maar dat was niet het hele verhaal, Tilly was wel degelijk met een oplossing gekomen. Zij had nog wel een kamer over, daar kon Arie wat haar betreft intrekken. Ik begreep niet onmiddellijk over welke kamer het ging. Voor zover ik wist had Tilly een voorkamer die ze als woonkamer gebruikte en een achterkamer waar ze sliep en waar ze een eigen koelkast had staan. Maar het bleek om de opslagruimte te gaan, een uit de kluiten gewassen inbouwkast direct boven aan de trap op haar verdieping. Er zat een klein raampje in het dak, dat kon ik niet ontkennen. Arie mocht die kamer hebben.

Ik mocht van Tilly amper naar de trap kijken.

Vond ze Arie aantrekkelijk, met zijn onregelmatige, gevlekte, spekkige huid vol dikke plooien? Kon je dat mooi vinden? Alleen zijn donkere ogen schitterden, die kamer was meer dan hij had durven dromen. Voor 150 gulden was die voor hem. Betaalbaar, vond hij en voor Tilly was het een leuke bijverdienste. Voorwaarde was wel dat als Tilly er genoeg van had, hij nog dezelfde dag zou vertrekken.

'Dat is natuurlijk geen enkel probleem,' zei Arie en dook grinnikend in elkaar.

Nu kwam hij het met mij vieren, hij had de thee meegenomen, de pot zat nog behoorlijk vol. Hij zette het blad op de grond en gromde zachtjes van de inspanning.

Tilly viel doorgaans voor magere mannen die vaak nogal nerveus waren en alles voor haar overhadden.

'Heb jij je kamer weer voor jezelf,' zei hij en begon zichzelf te krabben.

Het duurde nog even voor hij echt in zijn nieuwe kamer kon trekken. Hij moest eerst spullen bij elkaar zien te krijgen. Maar komende maandag werd het grofvuil op straat gezet, dus dat kwam wel goed. Hij kon er alvast slapen. Als hij mijn luchtbed mocht lenen tenminste. Aangezien het alternatief was dat hij anders op het luchtbed in mijn kamer bleef logeren, vond ik dat geen enkel probleem.

7

Nog eventjes, het is al bijna avond. Weet je dat het al meer dan een week geleden is dat ik je sprak? En je belt maar niet, nog steeds niet. Als je eenmaal een foute start maakt, blijft het misschien altijd wel moeilijk. Ligt dat aan mij? Ik vraag het me oprecht af, maar jij maakte het me niet makkelijk. Je bleef op een of andere manier veel aandacht vragen. Zoals in de Dobbermanstraat. Als ik je 's avonds welterusten kwam zeggen, was je vaak bang.

Je durfde niet onder je bed te kijken, je dacht dat er mannen lagen of krokodillen.

Ik legde uit dat het niet kon. Waarom zouden enge mannen in hemelsnaam onder het bed van een klein meisje willen liggen? Daar was trouwens ook helemaal geen plaats voor. En krokodillen kunnen niet zonder water.

Maar dan vroeg je of ze in de kast zaten.

Ik legde je uit dat daar ook geen mannen zaten, ze zouden zich doodvervelen in de kast van een meisje, het was niet logisch. In jouw kamer zaten geen mannen, krokodillen of spoken, die zaten vooral in je hoofd en ook in het mijne. Soms wist ik het niet meer, liep ik huilend door het huis. Ik moest de ramen lappen en dat deed ik dan ook, maar halverwege hield ik ermee op. Ik kon het niet meer. Ik wilde alleen maar weg.

Jij kwam thuis. Ik vroeg hoe het op school was, maar je had

niet veel te vertellen, dat had je nooit, je ging snel spelen. Je vermaakte je wel. Uren kon je bezig zijn met pruikjes die je van draden wol maakte. Of je las in boeken. Soms sloeg je de bladzijden niet om, maar je zag er tevreden uit.

Je was lief, maar ik kon het nog even niet aan en omdat ik het echt niet meer uithield, zei ik dat ik een boodschap moest doen.

Nu? vroeg je.

Ja nu, zei ik en probeerde te glimlachen.

Dan wilde je mee.

Ik legde uit dat dat onhandig was, dat ik alleen even een boodschap moest halen, dat ik maar even weg zou zijn.

Je wilde weten wanneer ik terugkwam.

Ik zei dat ik zo terug was, maar je wilde precies weten hoe laat. Dat wist ik niet, dus legde ik uit dat het niet lang duurde, en ging snel weg. Ik moest wel, ik hield het niet uit, ik ging naar het parkje, dat deed ik wel vaker. Een fatsoenlijk bos hadden we niet, dus ik ging tussen de sprieterige bomen lopen, over de slingerende paadjes, en daar voelde ik me net zo opgesloten als thuis. Als ik iemand tegenkwam, keek ik naar de grond, zodat ze mijn rode ogen niet konden zien. Daarom liep ik de halve tijd naar de grond te kijken, want je kwam er de hele tijd mensen tegen, het was er veel te druk. Er was geen andere natuur in de buurt, we hadden alleen dat ellendige parkje. Uiteindelijk vond ik een weggetje dat doodliep, dat sloeg ik in en aan het eind schreeuwde ik geluidloos.

Toen ik thuiskwam stond jij voor het raam. Volgens mij had je gehuild.

Om half zes kwam papa thuis.

Hij vroeg hoe het met ons was en zonder het antwoord af te wachten begon hij over zijn dag, over de vergaderingen die hij had gehad en dat er aan het eind nog geen actiepunten waren.

Hij herhaalde letterlijk wat iedereen gezegd had, inclusief de lange discussies die hij met Panama had gevoerd. Hij zei dan dat Panama zich weer in alle bochten wrong, omdat hij zich niet graag vastlegt, dat hij zich doorgaans niet graag vastlegt en geen plannen maakt, omdat hij de richting werkenderwijs wel zou uitvinden. Maar daar was papa het niet mee eens, omdat het gevaar bestaat dat je dan stuurloos wordt. Papa wond zich net zo op als hij overdag had gedaan. En dan vroeg hij: 'Met een groep moet je toch richting hebben? Dat is toch niet zo gek dat ik dat zeg?'

Ik zei dat hij gelijk had.

Opgewonden antwoordde hij dat hij dat ook dacht en dat hij daarom tegen Panama had gezegd dat hij het niet met hem eens was. En zo ging het maar door.

Ik schepte het eten op, mijn wanhoop was doffer geworden.

Toen hij uiteindelijk was uitgepraat, vroeg hij nog een keer hoe het bij ons was.

Meestal zei ik dat het goed was, dan wilde ik hem niet ongerust maken na een lange dag werken, maar op een keer zei ik dat ik het niet wist.

Hij nam een slok koffie en knikte vaag.

Ik legde uit dat ik dat vaker had, zeker in dit huis, dat ik het soms even niet wist.

Hij schudde zijn hoofd maar aan zijn onrustige ogen zag ik dat hij aan Panama dacht en wat hij hem zou zeggen als hij morgen op kantoor kwam.

Zo zaten we 's avonds tegenover elkaar. Papa was rustig geworden. Hij keek om zich heen en zag de emmer koud geworden sop bij het raam staan. De onregelmatige strepen op het glas zag hij niet. Hij vroeg wat die emmer daar moest. Ik zei dat ik het snel zou opruimen. Ik wist niet of ik verder moest uitleggen dat het zo niet langer kon, dat ik het niet uithield, dat er echt iets moest veranderen, maar dat ik niet wist wat of hoe.

Jij kwam naar me toe, ging tegen me aan staan en vroeg of ik je straks nog welterusten kwam zeggen.

Ik kom zo, zei ik dan. Ga maar vast.

Dan ging je, maar later kwam je weer beneden; het was bijna tien uur, ik was verbaasd dat je nog wakker was. Je vroeg of ik nog kwam.

Ik kom zo, zei ik dan maar weer.

Toen ik boven kwam, was je nog steeds wakker. Je was eigenlijk altijd wakker als ik later kwam.

Ik zei dat je maar lekker moest gaan slapen en gaf je een kus.

Dan vroeg je of we nog weggingen die avond.

Ik stelde je gerust, we zouden thuisblijven.

Je wist van geen ophouden, want je vroeg of we ook niet gingen wandelen. Je keek er angstig bij. Daar was geen reden voor, maar je kon er niet mee stoppen.

Dus dan zei ik toch maar dat we misschien nog een ommetje gingen maken. Ik probeerde zo rustig mogelijk te blijven, ik wilde naar beneden, ik was moe.

Maar jij hield niet op. Je wilde weten wanneer we dan zouden gaan. Je stem klonk hoog, het irriteerde me een beetje.

Ik zei dat ik het niet wist, dat ik niet eens wist of we gingen, en als we zouden gaan, dat we maar heel even zouden gaan. Ik zei dat je moest gaan slapen en ik hoopte zo dat je dat zou doen, want ik wilde naar beneden.

We maakten bijna elke avond een ommetje. Meestal stond papa op om te gaan wandelen, maar nu bleef hij zitten. Daarom zei ik dat ik naar buiten moest, omdat ik anders stikte, dat ik het eigenlijk niet uithield binnen.

Papa pakte de jassen.

Toen we thuiskwamen, hoorde ik boven gestommel.
Het klonk of je in de gang had gestaan en nu weer snel naar je kamer ging.

Ik vraag me weleens af: is dat wat je me kwalijk neemt? Komt daar die bokkigheid vandaan? Maar je begrijpt toch wel dat ik het beste met je voor had? Jij zag er tevreden uit, ik liet je met rust, meer kon ik niet voor je doen.

Ik wist dat jij veilig in bed lag, ik wist dat je verzorgd was, wat meer kun je van een moeder vragen?

Ik wil je graag vertellen hoe het voor mij was.

Als je tenminste naar me zou willen luisteren.

Maar kon je vroeger nog geen vijf minuten zonder mij, nu laat je niets horen en weet ik net zomin wat ik er ermee aan moet.

8

De logeerpartij was afgelopen. Overdag was Arie weg met de hond, alleen 's avonds aten we nog samen. Een van die avonden stond ik bolognesesaus te maken toen Tilly binnenkwam. Haar scherpe gezicht was bruin geworden in Portugal.

'Schiet het op met de boot?' vroeg ik.

Ze knikte, terwijl ze haar vinger in de pan stak en hem aflikte. 'Beetje flauw dit.'

'Dat komt nog wel,' zei ik.

Ze gaf me het zout aan. Ik zette de pot terug, maar ze duwde hem weer in mijn handen. Ik gooide er zout bij. Tilly vindt van zichzelf dat ze leiderschapskwaliteiten heeft, maar ze heeft nooit ergens als leidinggevende gewerkt.

Ze stond even tegen de muur naast het fornuis geleund. 'Raar dat ik je vriendje nooit eerder heb ontmoet,' zei ze opeens.

Ik duwde de zoutpot weg. 'Het is mijn vriendje niet.'

'Nou ja... vriend dan, zo groot is hij niet, maar goed.' Ze lachte smalend.

'Hij is ook geen vriend,' zei ik. 'Niet echt.' Ik probeerde het niet te hard te zeggen, want Arie kon elk moment thuiskomen.

'Als je het dagenlang met iemand in één kamer volhoudt, dan kun je zeggen dat hij je vriend is,' zei ze. Ze keek of ze geen tegenspraak duldde.

Ik legde haar uit dat ik het helemaal niet had kunnen uithouden, dat het soms verschrikkelijk was geweest.

Langzaam schudde ze haar hoofd. 'Dat je het ontkent...'

Ik roerde in de pan of er verder niemand in de keuken was.

'We moeten eerlijk tegen elkaar zijn, dat is toch niet te veel gevraagd?' zei Tilly.

Ik dacht aan de slaapgeur die Arie elke ochtend om zich heen had hangen en aan het gekreukte hoofd boven mijn kamerjas en stelde me voor hoe Tilly hem was tegengekomen in de gang. Wat had Arie in godsnaam gezegd of gedaan? Had zijn stem vriendelijk geklonken in de halfdonkere gang? Was hij vleiend geweest?

Tilly keek misprijzend naar de spaghettisaus.

'Wat...' zei ik. Soms is het moeilijk om de juiste vraag te stellen, zeker als iemand er eigenlijk niet tegen kan als je niet goed uit je woorden komt. 'Ik vroeg me af... Arie is nogal...'

'Je vindt het zeker wel fijn dat hij nu een kamer heeft,' onderbrak ze me.

Ik haalde mijn schouders op. Het was fijn dat hij niet meer in mijn kamer zat, maar ik kon hem nu altijd in de gang tegenkomen. Wie had er voorrang bij de wc?

'Nou ja...' zei ik.

Tilly was met haar rug tegen de muur gaan staan en staarde naar de kast. 'Feitelijk zouden we dat moeten vieren. Met een etentje, bedoel ik.'

Ik zette het gas laag en deed de deksel op de pan.

'Om hem welkom te heten, zoiets.' Haar gezicht had een zachte glans gekregen.

'Dat is aardig van je,' zei ik.

Tilly knikte. 'Dan laat je je eens van je hartelijkste kant zien.'

Ik wilde de pollepel op het aanrecht leggen, maar hij viel op de grond. Ik pakte hem en hield hem onder de kraan. 'Wil je mee-eten of zo?'

Ze trok een vies gezicht waarbij haar kin bijna helemaal in haar nek verdween. 'Ik heb het niet over dit, ik heb het over een echt etentje. Een diner van drie gangen. Omdat Arie onderdak heeft en ik weer thuis ben. Er is alle reden om eens goed uit te pakken.'

Ik keek naar de tomatenspatten op de vloer. 'Maar ik héb voor hem gekookt, de hele tijd al,' zei ik tegen de spatten.

Tilly haalde haar schouders op en draaide zich om. 'Dan niet.' Ze liep de gang in.

Nu was het weer precies zoals het was voor ze naar Portugal vertrok. Bij anderen in huis lijkt het altijd zo goed en gezellig, waarom ging het bij ons zo snel mis?

Tilly wist zelf ook wel dat ze lastig was, dat had ze bij onze eerste ontmoeting zelf tegen me gezegd. 'Jaaa, ik kan best lastig zijn, ik ben soms zonder meer irritant.' Ze had er bijna trots bij gelachen. Als iemand zo over zichzelf praat, kan het toch nooit erg zijn? Ik kon daarentegen niet erg om mijzelf lachen, ik was geneigd om min of meer op mijn strepen te staan, maar het was wel waar: Tilly was net thuisgekomen. Als ik nu eens over mijn weerstand heen stapte, dan kon ik gelijk zien hoe Tilly en Arie met elkaar omgingen en hoe het kon dat het zo klikte tussen die twee. Ik ging naar de trap en riep Tilly net zo lang tot ze verscheen.

'Het is goed,' zei ik. 'Dat eten, bedoel ik, gezellig.'

Ze liep weg.

'Tilly?'

Ze verscheen weer boven aan de trap.

'Doen we het? Dat etentje?'

Ze haalde haar schouders op.

'Dat wilde je toch?'

'Ik dacht dat het voor jou een groot probleem was, dus dan dring ik niet aan,' zei ze. Zo van onderen met vooruitgestoken kin had ze iets heldhaftigs. Maar ze was niet heldhaftig.

Ik draaide me om en liep weg.

'Kom es. Kom eens terug,' riep ze. Ze klonk een beetje zenuwachtig.

Ik liep terug.

'Het is goed, we doen het.' Ze keek lief.

Ik knikte.

'Een driegangenmenu?'

Ik knikte.

'En koffie is geen gang.'

Hoezo dat nou weer? Wie zei dat ik koffie mee ging rekenen als gang? Met een ruk bracht ik mijn hoofd omhoog.

Ze deed een stap naar achter, hief haar handen alsof ze zichzelf moest verdedigen tegen mijn felheid. 'Ik zeg het alleen maar.'

We spraken af voor dinsdag. Dan was het grofvuilmaandag geweest en zou Arie meubels hebben gevonden, dan zou het officieel zijn, het leek me een goed moment.

Tilly fronste. 'Hoezo grofvuilmaandag? Wat bedoel je?'

'Niks,' zei ik.

'Waarom begin je dan over grofvuil als het niks is?'

'Nou niets, gewoon,' mompelde ik, en liep naar de keuken.

Tilly's deur klapte dicht en precies op dat moment kwam Arie thuis.

9

'Dat meen je niet!' riep Gerjanne. 'De afvalkoning woont bij jou? Vieze Arie? *The one and only?*'

Die ochtend had ze gebeld om te vragen of ik meeging naar een concert. We hadden elkaar al weken niet gesproken en ik had veel te vertellen, dus ging ik meteen naar haar toe en nu zat ik op haar bank in haar zwarte kamer.

Gerjanne droeg altijd zwarte kleren en haar haar stond recht overeind en ook dat verfde ze pikzwart. Ze woonde in een kraakpand en op een dag had ze ook haar kamer zwart geschilderd: haar muren, veel van haar spullen en zelfs haar tapijt. Vooral voor dat laatste had ze veel verf nodig gehad, het tapijt was helemaal hard geworden. Ze zou het niet nog een keer doen, maar het zag er goed uit. Beter dan daarvoor in ieder geval.

Naast die ruimte bevond zich een kamer waar ik al een keer was ingetrokken. Dat was mijn eerste kamer. Het was in een opwelling gegaan; ik vertelde thuis dat ik weg wilde, omdat ik een gratis kamer had. Mijn vader had zijn wenkbrauwen gefronst, mijn moeder had geschrokken geknikt, verder zeiden ze niets. Mijn ouders kwamen nogal machteloos over en dat noemden ze een vrije opvoeding.

Nog dezelfde dag verhuisde ik met een tas vol kleren. Maar de kamer was koud, ik had alleen een kacheltje dat ze in de badkamer gebruikte. Ik ging naar Oblomov en was jaloers op iedereen die naar huis ging. Toen ik 's ochtends zag dat er een gat in het raam zat zodat het beetje warmte in de kamer onmiddellijk naar buiten stroomde, wist ik dat ik daar onmogelijk kon blijven en ben ik weer naar huis gegaan. Maar thuis was het verschrikkelijk, het was erger dan ervoor omdat ik nu wist dat het niet zo simpel was om weg te komen.

Gerjanne maakte het verder niet uit, het was mijn leven. Maar het duurde maanden voor we aan de bar weer eens dubbelsloegen van de lach.

Ik vertelde haar over Arie.

Gerjanne schudde haar hoofd, haar zwarte punkharen stonden als een pluim omhoog en wuifden vertraagd mee. 'Vandaar dat we niets hoorden, je zat de hele tijd thuis. Met Vieze Arie.'

'Hij was op bezoek,' zei ik. 'Dan kun je niet weg.'

'En nu?' vroeg ze.

Ik had haar al uitgelegd dat hij er nu woonde en dat was misschien niet optimaal, maar het ergste was in ieder geval voorbij. Ik moest alleen niet te veel in dat huis blijven, want ze zaten me op mijn huid. Ik kon nu naar buiten, niemand hield me tegen, en dat hoefde niet slecht te zijn, ik zou er alleen maar actiever van worden.

Maar ik vergiste me, het was niet voorbij. Achteraf weet ik dat het toen eigenlijk pas begon, dat dit een soort stilte voor de storm was. Hoewel stilte... die avond gingen we naar Einstürzende Neubauten.

Ik sprong bij Gerjanne achterop, ik had geen fiets, en zo reden we naar De Fabriek.

Onderweg kwamen we vooral concertbezoekers tegen, allemaal in het zwart, met piekerig haar en een duistere blik. Het was of we de straat hadden overgenomen.

Bij De Fabriek gingen we in een lange rij staan. Jeroen stond ergens vooraan, maar toen hij ons zag maakte hij een sprongetje, voor zover dat mogelijk was met dat logge lijf van hem, en stapte uit de rij om bij ons te gaan staan.

Jeroen kenden we van school. Na de diploma-uitreiking hadden we hem een tijd niet gezien, tot Gerjanne hem een paar maanden geleden bij de V&D was tegengekomen. Hij deed nogal vaag over waar hij geweest was, maar nu was hij terug en daar ging het om. Hij was werkeloos en solliciteerde louter op directiefuncties, hij had immers vwo.

'Ben je al directeur?' vroeg Gerjanne nu.

'Ach, die sukkels,' zei hij. Daarna jubelde hij dat het een geweldige avond zou worden.

Lacherig schoven we in de richting van de felverlichte fabriekshal en even later stonden we met zijn allen in het helle tl-licht om een stapel oud ijzer heen, met daartussen een microfoon en wat instrumenten. Stomp kwam naast ons staan. Het licht scheen genadeloos op zijn hoofd vol kale plekjes. Dat kwam omdat hij niet kon kiezen tussen pikzwart en spierwit haar – vandaag was het zwart – en als je het maar vaak genoeg verft, gaat het vanzelf uitvallen, had hij al eerder vol verbazing uitgelegd.

Je had mensen die overactief waren en dubbelsloegen van het lachen, zoals wij, en je had de depressieven die verveeld keken. Niemand zat tussen die twee uitersten in en was gewoon relaxed.

Misschien was er één uitzondering. Schuin tegenover me achter een oliedrum stond een jongen die ik van gezicht kende. Van zijn haar had hij geen kunststukje gemaakt, het leek vooral of hij net uit bed kwam. Hij viel niet op, maar toch leek het of er een spotje op hem gericht stond.

Hij lachte naar me.

Met een klap ging het licht uit. Een paar seconden lang was het helemaal donker, toen hoorde je gerommel bij de instrumenten, kwam een gitaar van zijn plaats en begon te zweven. Je zag een arm, een schim, en verderop nog een gestalte. Ook achter de microfoon bewoog er iets. Blixa hoestte in de microfoon, een gitaar begon te zoemen, het rommelde. Eerst zacht, daarna harder. Blixa slaakte een kreet en begon te vloeken. Andere band-leden timmerden ritmisch op de hoop schroot, het deed pijn aan je oren en toen we dachten dat het niet erger kon werd de drilboor aangezet. Een van de mannen begon er een pilaar mee te bewer-ken, we werden gek van de herrie, het gekrijs van Blixa, het geluid van de valse gitaren en het geram op schurend ijzer, we gilden en joelden en niemand stond stil.

Na het concert bleven we lauw bier drinken, terwijl 'Malaria' door de fabriekshal schalde. Volgens Jeroen zouden de jongens van Einstürzende Neubauten terugkomen. Ze zouden nog uit willen en dan konden wij hun de foutste kroegen van de stad laten zien. Stomp riep dat Jeroen nog niet eens in staat was voor ons een spontaan feestje te bouwen. Vanavond. Nu!

In de hoek tegen een pilaar stond de jongen. Hij lachte. En toen werden we de hal uit geveegd.

Buiten stonden we met veel mensen om te weinig fietsen. Jeroen had eigenlijk met de jongens van de band mee willen rij-den, maar nam nu genoegen met een plaatsje achterop bij Ger-janne. De afterparty was bij haar thuis, had hij besloten. Gerjanne weigerde Jeroen achterop te nemen, daar kon ze alleen maar een klapband van krijgen. Stomp zei dat hij best wilde lopen, maar dat hij nu onderhand dorst begon te krijgen. Niemand luisterde naar elkaar, ik stond lachend tegen een lantaarnpaal.

Opeens stond de jongen aan de andere kant van de paal. Hij keek naar me. Vond hij Gerjanne te grof? Of vond hij het raar dat ik zo dom stond te lachen?

'Ik vond het grappig, geloof ik,' zei ik.

Nu lachte hij ook. 'Ze heeft gelijk, waarom zou je iedereen achter op je fiets nemen?'

Ik knikte.

We keken naar het gescharrel voor ons.

Opeens grinnikte hij. 'Ze verdomt het gewoon. En hij heeft geen fiets.' Hij keek om de paal heen. 'Ik heet Marcel.'

Ik zei mijn naam. 'Maar ik heb dus ook geen fiets.'

'Lotte,' zei hij alsof hij mijn naam in zijn mond wilde proeven. 'Lotte... ik heb wel een fiets.'

Hij stond tegen de lantaarnpaal geleund, ik leunde er aan de andere kant tegenaan, het was of onze schouders elkaar raakten. We keken naar Jeroen, die de onbekende jongen uitlegde waar Gerjanne woonde. En daarna riep Gerjanne dat alles best was, maar dat Jeroen wel een krat bier moest gaan halen, hij kon best even via zijn huis lopen, hij had altijd bier op voorraad.

Marcels jas kraakte, hij bracht zijn vrije arm naar mijn schouder, kneep me even. Hij knipoogde.

Ik lachte verlegen.

'Dat is anders erg om,' sputterde Jeroen.

'Zonder bier kom je er niet in,' riep Gerjanne. Toen keek ze naar Marcel en mij en trok haar wenkbrauwen op. Marcel knikte geamuseerd en wuifde dat ze mocht gaan. Het was of ze elkaar al heel lang kenden.

Langzaam begonnen de fietsen in beweging te komen.

'Ik heb de mijne daar,' zei Marcel. Hij had zich van de lantaarnpaal losgemaakt en wees naar achteren. Hij had een kuiltje in zijn kin, hij draaide zich van me weg.

Het pleintje voor de fabriek raakte leeg, de hekken om het terrein waren voor een deel omgevallen, er groeide onkruid doorheen. Ook tussen de betonnen platen van het fabrieksterrein groeiden plantjes en gras, alsof ze overal met hun breekbare bladeren en stengels scheuren in het beton hadden gemaakt.

Marcel stond weer naast me met zijn fiets. 'Op naar de afterparty, Lotte.' Hij keek of hij iets brutaals had gezegd.

Langzaam begon hij te fietsen, ik sprong achterop. Hij slingerde even. Ik legde mijn arm om zijn middel. Hij zei iets wat ik niet verstond. Zo volgden we de luidruchtige stoet naar Gerjannes huis.

Jeroen was er zelf niet bij, maar hij had een echte afterparty georganiseerd. Hij had er in ieder geval de goeie locatie voor uitgekozen. We draaiden Throbbing Gristle, Joy Division en D.A.F. op vol volume en er kwam niemand klagen. Gerjanne had geen buren, bijna alle panden in de straat stonden leeg. Alles was zoals het moest zijn op zo'n feestje: Stomp dronk tot hij bij een muur op de grond zakte en in slaap viel, een krullenbol die ik niet kende, een bal van een jongen, stond met twee meisjes in de keuken een pan macaroni op te warmen. Gerjanne zei dat ze dat helemaal zelf mochten weten, maar dat er volgens haar al haren op stonden. Ik zat naast Marcel op een bankje en keek naar het feestje of het een film was. Gerjanne hurkte bij ons neer.

'Jou heb ik vaker gezien,' zei ze tegen Marcel.

'Ik jullie ook,' zei hij.

'Doe je voorzichtig met haar?'

Marcel lachte.

Gerjanne wilde nog iets zeggen, maar werd afgeleid door het geluid van vallend servies op de keukenvloer. Ze ging naar de keuken en voor zover we het konden volgen, bleek de macaroni niet te bevallen en waren ze nu aan het experimenteren met rauwe ui en pindakaas. Volgens Gerjanne waren ze gestoord en moest de krullenbol nu maar bij hem thuis drank gaan halen, want op Jeroen hoefden we niet te rekenen, dat was een eersteklas lapzwans.

'Vertel eens iets?' vroeg Marcel. 'Ik ken alleen je naam.'

Ik wist niet wat hij wilde horen en begon maar bij het begin, dat ik weken te laat kwam, en toen ik er eenmaal was, ik mijn navelstreng nog om mijn nek had, waardoor ik helemaal blauw en benauwd was.

Hij lachte.

Daarna vertelde ik over mijn ouders, die met elkaar getrouwd waren, terwijl ze dat beter niet hadden kunnen doen. En dat ik me afvroeg of ik dit eigenlijk wel mocht denken, omdat ik er dan ook niet geweest was, maar dat de gedachte evengoed steeds terugkeerde. Hij leek het wel grappig te vinden, daarom vertelde ik over tante Hansje, die met Kerst altijd kwam logeren, waardoor mijn moeder heel zenuwachtig ging doen, waar ik huilerig van werd. Tante Hansje ging altijd eerder naar huis dan de bedoeling was. Het jaar erop wilde mijn moeder dat per se voorkomen, waardoor ze nog zenuwachtiger werd, wat alles alleen maar erger maakte. Ik vertelde over school, waar ik me altijd in de klas zat af te vragen hoe ik de tijd sneller kon laten gaan, over het huis waar ik nu woonde en het gesprek bij de sociale dienst. Over Arie zei ik niets. Ik had de hele avond niet aan hem gedacht en was bang dat als ik nu over hem zou praten, mijn hoofd besmet zou raken en ik het gesprek zou vergiftigen. Daarom vertelde ik het sprookje van het lelijke jonge eendje.

Het was al licht toen we naar huis gingen. Marcel bracht me een eindje de goede kant op tot ik zei dat ik er wel ongeveer was.

'Ik zie je,' zei ik.

'Ik hoop het,' zei hij.

Als een aapje slingerde hij zijn arm om me heen en gaf me een zoen.

Hij had zachte lippen. Zijn wang raspte kort over de mijne. Hij ging op zijn fiets zitten, knipoogde en fietste de straat uit.

Ik bleef staan en keek naar de hoek waar hij was afgeslagen.

10

Als ik ergens goede herinneringen aan heb, liefje, dan is het aan een paar jaar geleden. Je hoefde niet weg, nog lang niet, je had er nog nooit op gezinspeeld. Je examens waren achter de rug, het was een spannende tijd geweest. In die tijd zat je jezelf behoorlijk in de weg en was je best lastig. Maar we waren erdoorheen gekomen, nu kon je je eindelijk ontspannen en was je aanspreekbaar. Het ging beter tussen ons. We konden met elkaar praten, we hadden het overal over. Dat was toch goed of vergis ik me? We spraken over filosofie, de zin van het leven, maar gesprekken konden ook persoonlijk worden.

Als ik vertelde dat ik het lastig vond om me staande te houden tussen de mensen op een receptie, gaf jij me advies. Je zei dat ik me misschien niet staande moest houden, dat ik het los moest laten, want wat kon er fout gaan. Ik hoefde het niet zo goed te doen, dat zei je tegen me. Dit was waar ik altijd op hoopte, zo was het goed.

We hadden het ook over hoe ik met papa moest omgaan, over hoe lastig het voor me kon zijn. Je was een grote steun voor mij. Je was in evenwicht die periode na je examens. Je had even rust nodig na die drukke examentijd, het was een belangrijk moment in je leven, je moest nadenken over wat je wilde, dus je zat veel thuis. Je sliep uit, las de krant, en als we niet te veel van je vroegen, was het gezellig. Zo ging het eigenlijk heel goed, ik wist nu dat het met jou wel goed zou komen, zoals ik voor mezelf ook wist wat ik wilde.

Vroeger mocht het niet van oma, die vond het onzin dat meisjes gingen studeren. Maar ik heb het heimelijk altijd gewild. Daarom dacht ik opeens: waarom zou ik niet nu mijn kans grijpen? Het was nog niet te laat. Als ik bedacht dat jij een vervolgstudie zou gaan doen, kreeg ik er zelf gewoon zin in. Daarom ben ik me gaan oriënteren. Ik ben gaan kijken wat me interesseerde, maar ook naar waar ze iemand van mijn leeftijd nog zouden aannemen, waar ik niet uit de toon zou vallen en kwam uit op de sociale academie. Die studie gaat over mensen en hoe je voor hen kunt zorgen. En ze gaven er veel creatieve vakken. Had jij het daar niet over gehad? Dat je het gevoel had dat er iets uit moest, maar je wist niet hoe? En dat je niet wist hoe je je creativiteit kon aanboren, dat het geweldig zou zijn als ze je daar op een school bij zouden kunnen helpen? Op die school deden ze dat. Ik ben naar de open dag gegaan, hoewel ik dat eng vond. Wat moest ik daar, ik was toch al een oude vrouw? Maar alweer gaf jij me goede raad. Je zei dat ik hele-maal niet zo oud was, dat ik het gewoon moest doen als ik het wilde. Wat kon me gebeuren? Je vroeg nog of je mee moest omdat jij het eigenlijk ook wel leuk vond, maar dat hoefde niet. Toen vroeg je het serieuzer, maar het hoefde echt niet. Dit moest ik nu eens zelf doen.

En ik moet toegeven: eenmaal op de academie werd er goed op me gereageerd. Men vond het moedig van me, het werd te weinig gedaan, ik kwam bovendien helemaal niet zo oud over, ik was van harte welkom. Ik was daar meer dan een moeder, als ik op de opleiding was voelde ik me anders, beter. En zo ben ik begonnen.

In de eerste week zat ik in de kantine met mijn kopje thee, ik had nog niet kennisgemaakt met medestudenten. Bij de balie stond een man naar me te kijken. Hij kneep met zijn ogen en na een paar keer een blik gewisseld te hebben, durfde ik niet meer te kijken. Hij was best leuk, hij was van mijn leeftijd en hij kwam naar me toe.

Het is gek hoe je je opeens weer een onhandige tiener kunt voelen.

Hij vroeg of hij even bij me mocht komen zitten, ik knikte naar de tafel, ik moet blosjes op mijn wangen hebben gehad.

Toen vroeg hij of ik jouw moeder was.

Het was of ik in een lift stond die met een klap tot stilstand kwam. De tiener werd weer de vrouw die ik was. Ik lachte en zei dat hij het goed had gezien, dat ik hem niet had herkend. Hij was je leraar maatschappijleer, je had het weleens over hem, terwijl je verder zelden iets over school zei.

Hij vroeg wat jij was gaan doen. Voor de zomer had hij je nog naar je plannen gevraagd, maar daarop had je geen duidelijk antwoord kunnen geven.

Ik zei dat je het nog niet precies wist, dat je het nog een beetje moest uitzoeken.

Hij was bezorgd omdat het schooljaar net was begonnen. Hij vroeg zich af of je wel verder zou gaan, hij vroeg hoe ik dat zo zeker kon weten.

Ik heb hem gerustgesteld, zei hem dat je natuurlijk verder zou gaan, dat je nu alleen nog even niet wist wat je moest, maar dat het wel goed zou komen.

Hij vond het zonde; studeren vond hij erg belangrijk, hij drong nogal aan.

Ik zei dat ik het ook zonde zou vinden, maar dat het wel kwam, dat jij nu eenmaal tijd nodig had.

Hij ging maar door, hij vroeg of je nog geen enkel idee had, zelfs niet een vaag idee van een richting? En waarom je in de maanden na het eindexamen niet genoeg tijd had gehad om erover na te denken. Dat je door niets te doen stil kwam te staan. Dat het toch zonde was om een jaar te verliezen. Dat je gestimuleerd moest worden.

Waarom zou dat zonde zijn, vroeg ik, je was nog jong. Een jaar uitstel, wat maakte dat uit. Je had even rust nodig en daar stimuleerde ik je in. Als je hoofd er niet naar staat, dan heeft het toch geen zin? Ik vond het juist goed dat je de tijd nam die je nodig had. Want het is belangrijk dat je een goede keuze maakt. Jij was nu eenmaal niet iemand die de geijkte weg ging. Bovendien vond ik het best gezellig dat je thuis was, ik kon met mijn verhaal bij je terecht, wat bij papa niet zo goed ging. Het was een leuke... een inspirerende tijd.

Ik begrijp niet waarom hij het niet gewoon van me aannam. Ik vroeg hem of hij me les ging geven, want dat dat wel grappig zou zijn.

Dat klopte, hij zou mijn leraar worden, maar hij lachte niet.

Gek genoeg hebben we daarna nooit meer met elkaar gesproken. Het is er niet meer van gekomen. Zijn lessen kan ik me niet zo goed herinneren, volgens mij vielen ze een beetje tegen. Jij mocht hem geloof ik wel, maar ik vrees dat ik dat niet met je deel.

Afgezien daarvan was het geweldig op die school. Het was zo goed om weer met iets bezig te zijn, om te studeren, om weer wat richting in mijn leven te krijgen. Ik leerde veel mensen kennen, gelijkgestemden van mijn leeftijd, maar ook jongeren. En Gerard heb ik er natuurlijk leren kennen. Als je tussen de mensen bent, word je vanzelf minder schuw. Ik las psychologie- en sociologieboeken, we gingen samen naar toneelvoorstellingen en in de klas voerden we lange discussies. En ik praatte veel met Gerard. Ik weet wel dat jij ooit vroeg of er niet meer tussen ons was, maar dat is niet zo. Misschien was je nog te jong om het te begrijpen, maar soms heb je een zielsverwant nodig, omdat één iemand niet alles voor je kan betekenen, omdat je groeit en verder wilt groeien. Aan Gerard had ik zo'n zielsverwant. Alles bij elkaar waren het achteraf misschien wel de gelukkigste jaren van mijn leven.

II

Als je goed voor jezelf kunt opkomen, heb je geen eigen kamerdeur nodig, dan houd je mensen vanzelf op gepaste afstand en heb je een sterke persoonlijkheid. Heb je dat niet, dan heb je een deur nodig en moet je ervoor zorgen dat gasten aankloppen en wachten tot je 'binnen' roept. Dat geeft een gevoel van controle dat niet iedereen nodig heeft. Zo ongeveer legde ik het Arie uit. Het leek of hij me niet zoveel kon doen, niet na gisteren. Ik was vrolijk en energiek en kon het goed uitleggen.

'Aha, controle,' zei Arie.

'Het is heel sterk van je dat jij het niet nodig vindt, maar ik ben niet zo sterk en daarom wil ik het graag,' legde ik uit.

Arie keek vriendelijk, maar zijn ogen gleden weg, terwijl hij automatisch bleef doorknikken.

'Dat je klopt, bedoel ik. We zijn niet allemaal hetzelfde.' En toen hij maar bleef knikken: 'Dat je de volgende keer klopt en niet zomaar binnenloopt, bedoel ik.'

Arie krabde zich in zijn nek en daarna aan zijn rechterbovenarm. Hij leek na te denken. Toen knikte hij. 'Het is goed om je hart te luchten,' zei hij bemoedigend. 'Daar leer je van.' Bij het weggaan roffelde hij een keer op de deur en keek me ondeugend aan.

Ik lachte een beetje terug en moest aan Marcel denken, Arie leek me niet meer te kunnen raken. Ik was absoluut op de goede weg. Nadat de deur dicht was, pakte ik de *Allerhande*'s erbij, koos een paar recepten, het was eigenlijk helemaal niet ingewikkeld.

Misschien ging het wel beter met Arie in huis, waren we als

het chemische proefje dat ik op de middelbare school had moeten doen: twee stofjes in een reageerbuisje wilden niet mengen, maar gooide je er een derde bij, dan begon de vloeistof te bruisen.

Arie en Tilly kwamen tegelijk, precies om half zeven klopten ze aan. Eerst dronken we wijn en hadden we het over Portugal, activisme, honden en Nederlandse bossen. Daarna zette ik de borden pompoensoep met room, gebakken spekjes en bieslook op tafel. Zelfs Tilly kon haar enthousiasme niet onderdrukken.

Ook de salade met lauwwarme paddenstoelen was geslaagd. Maar tussen de salade en de spinazietaart moet er iets gebeurd zijn. Of het was de taart zelf. Ik bracht hem binnen, de glanzende goudbruine korst dampte als op een plaatje uit de Donald Duck.

'Spinazietaart,' zei ik.

'Zit daar spinazie in?' vroeg Tilly.

Ik zei niets.

'Heb je geen vlees?' vroeg ze.

'Je houdt toch niet van vlees?'

Daar was ze inderdaad niet altijd dol op, maar in Portugal had ze wel even genoeg vegetarisch gegeten, bij Greenpeace werkten alleen vegetariërs, dus nu had ze zin in een ouderwets stuk vlees.

'Maar dan...' zei ik. 'Waarom zeg je dat nou?'

'Omdat het zo is.'

'Maar ik heb geen vlees, dus...'

'Dus?' vroeg Tilly. Ze keek me fel aan. 'Dus dan moet ik het niet willen? Dan mag ik er geen zin in hebben?'

'Dat zeg ik niet,' zei ik. Voor de blik van Tilly kon je je niet verschuilen.

'Wat zeg je dan? Wat bedoel je dan, als je dat niet zegt? Of zit je weer te draaien? Met jou weet je niet waar je aan toe bent, weet je dat?'

'Hou op,' piepte ik. 'Dit wil ik niet.' Ik voelde me weer dat magere meisje met sproetjes en een beugeltje, het meisje dat ik meestal zo goed mogelijk probeerde te verbergen.

'Ik wil ook bepaalde dingen niet,' zei Tilly schril. 'Maar daar gaat het niet om, het gaat erom dat we rekening met elkaar moeten houden.' Ze ging rechtop zitten. 'Daarom moeten er maar eens wat afspraken gemaakt worden. We wonen nu met zijn vieren in huis, jij, ik, Maaike en je vriend Arie...'

'Arie... we zijn geen vrienden,' zei ik.

Tilly trok haar wenkbrauwen op en Arie sperde zijn ogen open.

'Niet echt. We kenden elkaar amper voor hij hier kwam.'

Arie zat erbij of hij volstrekt niet wist waarover ik het had. Tilly leek het juist heel goed te begrijpen, ze knikte alsof ze eindelijk het hele verhaal kon reconstrueren.

'Ja, je neemt een volstrekt onbekende in huis en die laat je hier door de gangen zwerven.'

Het was alsof ik in een lift stond die in grote vaart naar beneden denderde.

'Hoe dan ook,' zei Tilly, 'feit is dat we hier nu met zijn vieren wonen en dan moeten er afspraken gemaakt worden. Tegelijk koken kan bijvoorbeeld niet, dus moeten we beurten afspreken. Ik kook tussen half zeven en half acht.'

Er spande zich een snoer om mijn borstkas.

'Dus. En wanneer koken jullie?'

'Maakt me niet uit,' zei Arie. 'Ik zie wel.'

'Maar...' zei ik. 'Is dat eerlijk?'

Tilly knipperde met haar ogen.

'Ik bedoel: moet Maaike er niet bij zitten als we zoiets afspreken?'

'Maaike is er niet,' zei Tilly.

Ik had Maaike niet uitgenodigd, niet aan gedacht, ze was er nooit. Maar het was raar als ze de keuken niet mocht gebruiken, ze betaalde gewoon huur.

'Je kunt nu niet alles tegenhouden omdat je Maaike niet hebt uitgenodigd,' zei Tilly. 'En verder is het niet de bedoeling om rekken met was op de gang te laten drogen. Zeker nu we met zijn vieren wonen, en er mensen kleiner wonen dan jij en ik, is het asociaal om de gang als jouw privéruimte te gebruiken. Iedereen moet erlangs kunnen.'

Het wasrek was nooit een probleem geweest, je kon er gemakkelijk langs. 'Waar moet het dan staan?' vroeg ik.

'Dat mag je helemaal zelf weten.' Tilly klonk agressiever dan ooit. 'En dan de hond, die is al genoemd, die moet natuurlijk ook nog worden uitgelaten.'

'Aries hond?' vroeg ik.

'Hoe heet hij eigenlijk?' Met een ruk keek Tilly naar Arie.

Die haalde zijn schouders op. 'Gewoon. Hond.'

'Dat kan dus niet, een hond moet een naam hebben.' Tilly keek Arie geërgerd aan. 'Een hond noem je geen hond.' En omdat Arie niets zei, ging ze door: 'Dan heet hij Frits.'

Arie keek haar met grote ogen aan en zei: 'Goed, heet hij Frits. Doen we het zo.'

Tilly knikte tevreden. Daarna keek ze weer naar mij en vervolgde kribbig: 'Maar daar gaat het niet om. Het gaat erom dat als jij... als Arie het beest niet kan uitlaten, omdat hij ziek is of hij heeft het te druk, dan moet het toch gebeuren, dus dan zou jij het ook weleens kunnen doen.'

'Maar jij houdt toch van honden,' zei ik. 'Dus jij...'

'Natuurlijk,' zei Tilly, die nu stevig in- en uitademde. 'Tegen mij hoef je dat dus niet te zeggen. Het gaat erom dat we het huis schoon houden en dat als Arie ziek is of het komt een keer niet uit, dat die hond daar niet de pineut van hoeft te zijn, ik probeer het alleen leefbaar te houden, maar dat valt niet mee.' Ze schoof haar stoel naar achteren en stond op.

Arie volgde. Ze liepen de kamer uit en vanuit de gang riep Tilly:

'En bedankt voor het eten.' Het klonk als een robot en daarna klapte ze de deur zo hard achter zich dicht, dat de sponningen ervan kraakten, terwijl ik dacht dat we hadden afgesproken dat we dat niet zouden doen.

Toen was het stil, ik draaide mijn deur op slot. Het leek of ze boven met elkaar stonden te praten, maar hoe harder ik luisterde, hoe minder ik de geluiden kon thuisbrengen.

Ik ging in mijn stoel zitten en keek door het raam naar buiten, naar de huizen met verlichte ramen, waarvan de gordijnen waren dichtgeschoven. In de ruit weerspiegelde mijn bleke gezicht. Een vaas deed met zijn spitse eivorm aan het hoofd van Tilly denken.

'Wat was dat nou?' vroeg ik.

Tilly zou minstens zo stoïcijns blijven als de vaas.

'Realiseer jij je dat mensen boos op je kunnen worden? Als je nooit luistert, maar alles afkapt, dat je de woede daarmee niet onderdrukt, maar dat hij groter en venijniger wordt? Dat mensen kwaadaardig kunnen worden? Heb jij enig idee hoe ze nu in Portugal over je praten? Het zou me niets verbazen als ze het daar al heel snel met elkaar eens waren en dat de boot inmiddels geschilderd is in alle kleuren van de regenboog. Zodra jij vertrok, haalde iedereen opgelucht adem. Je zou eens moeten horen welke grappen ze over je maken. Als je mensen in een hoek drukt met je aanvallen, dan krijg je daarmee nog geen gelijk. En dat is een voedingsbodem voor haat, wist je dat? Weet je dat het bijna gevaarlijk is wat je doet?'

Ik trilde.

'Als ik zeg dat Arie geen vriend is, dan is hij geen vriend. En weet je dat ik die hond nooit ga uitlaten? En dat als je niet wordt tegengesproken, dat nog niet betekent dat je gelijk hebt?'

Een voor een gingen de lichten in het huizenblok tegenover me uit. Toen alle ramen donker waren, werd het trillen minder. Ik stond op en deed de deur open. Het was stil in huis. Zachtjes bracht ik de afwas naar de keuken en begon af te wassen. Ik keek de keuken rond, naar de kast die ik zo goed kende, naar de tafel waaraan ik vaak gezeten had. Daarna ging ik weer naar mijn kamer. En ik wist dat ik weg moest. Arie was het stofje dat de samenstelling had doen bruisen, maar nu het was uitgebruist, werd duidelijk hoe de nieuwe samenstelling eruitzag: felgekleurd en gevaarlijk. Grote kans dat het giftig was.

12

Meis,   5 februari

Ik zit te kijken naar die telefoon, maar hij gaat niet over. Ik raak
je kwijt, het is net zo'n gevoel als toen je naar dat kraakpand
ging, weet je dat nog? Dat je er ging wonen kwam als een
donderslag bij heldere hemel. Je stormde de kamer binnen en
zei dat je vertrok. Natuurlijk gaan kinderen het huis uit, ik zou
niet willen dat je hier altijd was blijven wonen. En ik had ook
niet verwacht dat je ons zou bedanken voor alles wat we voor
je gedaan hebben, kinderen zijn niet dankbaar, zo werkt de
natuur, dat is niet erg. Het is de manier waarop je ging,
bruusk. Je pakte je tas in, wij mochten je alleen nog weg-
brengen. Ik had het liever niet gedaan, het was deprimerend
daar, met afgebladderde muren, een koude, rommelige gang,
hoewel rommelig... dat komt niet in de buurt van wat we
zagen. Het was meer of er een verbouwing gaande was, of ze
muren hadden doorgebroken. Ik vond het verschrikkelijk om
je achter te laten, voor een moeder is dat heel zwaar. Maar er
waren geen alternatieven. Je was als een baby die na de
geboorte zelf de navelstreng ruw afrukt. Dat is wat ik je
misschien vooral wil zeggen: het kan ook anders.

Nog geen 24 uur later, ik was nog verdrietig en radeloos,
belde je alweer. Of we je wilden komen ophalen, met al je
spullen kon je niet met de bus. Papa is onmiddellijk in de auto
gestapt. En niet lang daarna zag ik jullie samen weer het pad

opkomen. Mijn hart maakte een sprongetje, maar ik wist niet of het je zou irriteren, je kon heel wispelturig zijn. Dat heb je nog steeds. Je stond onwennig in de kamer. Ik ben opgestaan, heb thee gezet en ik zei dat ik niet wist of je het wilde horen, maar dat ik blij was dat je weer thuis was.

Je was toch mijn kind.

Je zei dat het niet om uit te houden was geweest.

Ik dacht: zo gaat het dus, je moet haar gewoon laten gaan, dan komt het uiteindelijk goed. Niet spartelen, laten gebeuren. Zo krijg je ervaring als moeder.

Even leek het erop dat het inderdaad goed was geweest. Je was blij met een verwarming die het deed, stond bijna verliefd naar de thermostaat te kijken.

Je wees naar het voorraam en zei dat er hier geen gaten in het glas zaten. Dat er dan geen beginnen aan is om het warm te stoken. Je ging op de bank zitten, dicht bij me in de buurt en zo zaten we daar een tijdje en hoefden niets te zeggen. Ik dacht: nu weet ze wat het is en waardeert ze wat ze heeft, nu wordt ze volwassen. Die avond kookten we samen. Het was misschien wel een van de gezelligste avonden die ik me kan herinneren. Ik was zo blij dat je toch weer thuis was. Ik kon goed met je praten als ik van de academie thuiskwam. Jaren heb ik op je kunnen terugvallen. Dat was heel fijn.

Ik had niet verwacht dat het daarna weer zo zou veranderen, dat er na de toenadering weer een kloof zou groeien, dat je weer afstand zou nemen, dat je nu niet meer belt, dat je domweg niets meer van je laat horen.

Maar ik blijf je moeder, hoe erg je me ook doodzwijgt, dat kun je niet van me afnemen.

Ik weet niet wat ik eraan moet doen, lieverd, geen idee. Misschien zou ik moeten bellen, maar zit je daarop te wachten? Het komt misschien niet uit en dan reageer je weer kribbig en daar heb ik echt geen zin in: eerst dagen zitten wachten en dan afgesnauwd worden. Ik zou je willen steunen, ik zou je advies willen geven, ik zou er voor je willen zijn. Maar als je daar geen zin in hebt, wat kan ik dan nog? Bellen zou het domste zijn wat ik kan doen, voor jou waarschijnlijk, maar voor mij helemaal. Ik zal moeten afwachten.

Vannacht droomde ik van je. Of eigenlijk droomde ik van je poppenhuis en hoe dat in een ruw stromende rivier werd meegesleurd. En ik kon niets anders doen dan het laten gaan.

13

Ik stond uit het raam te staren en probeerde nergens aan te denken toen ik de postbode de straat in zag komen. Onze brievenbus klepperde en daarna zag ik hem de post bij de huizen aan de overkant bezorgen. Hij droeg een belachelijk uniform met die broek waarin hij een dikke vrouwenkont kreeg. Postbode, dat was pas een stompzinnig beroep. Je reed dag in dag uit dezelfde route om brieven vol gezeur te bezorgen en vakantiekaarten waarop stond hoeveel graden het elders was. Als je de post elke ochtend ergens in een container zou donderen en dan naar huis zou gaan, zou niemand iets missen. Maar dat deed de postbode niet, hij bezorgde de post, offerde daar zijn leven aan op en zo werd hij langzamerhand oud en lelijk en uiteindelijk ging hij dood.

Een uur later liep ik de trap af. Er waren al brieven voor Arie. Wanneer had hij zijn adres overgezet? Er was ook post voor Tilly, haar moeder schreef haar heel dikke brieven. En daaronder zat nog een brief en die was voor mij. Afzender: De Gemeentelijke Sociale Dienst.

Met kloppend hart legde ik de post op afzonderlijke stapeltjes op de trap en ging naar mijn kamer.

Tot nu toe had ik alleen standaardbrieven van de dienst ontvangen, maar deze was anders. Hij was met pen ondertekend door mevrouw T.G. van der Linden. Ze riep me op voor een gesprek op donderdag 13:30 uur om de status van mijn RWW-uitkering door te nemen.

Dat de sociale dienst niet bij de kroegen zit, snap ik. Maar het industrieterrein waar ze zaten, was weer het andere uiterste. Het lag een eind buiten het centrum en omdat ik geen fiets meer had, moest ik het hele eind lopen.

Ik was op tijd, want je moet het niet wagen om te laat te komen, maar voor zichzelf namen ze het niet zo nauw. Daar zat een logica achter: zij hadden het druk en jij had heus geen belangrijke afspraken. Een waterdichte redenering, want het was niet de bedoeling dat je andere afspraken had, dan zou je niet vrij zijn voor de arbeidsmarkt; alle reden om je te korten op je uitkering.

Ik zat daar naar die blauwe deuren te kijken, niet wetende wat me boven het hoofd hing. Daar word je onrustig van. Voor de zoveelste keer checkte ik de brief: het was echt half twee en het was echt vandaag. Zat ik hier wel goed? Moest ik niet even naar de balie beneden om het voor de zekerheid nog een keer te vragen? Maar dan zouden ze me net komen halen en als je er niet zat, was je niet op je afspraak verschenen, en dat was een goede reden om je op je uitkering te korten. Ze hadden het beneden trouwens goed uitgelegd, er was helemaal geen andere gang geweest. Door weg te lopen zou ik laten zien dat ik geen geduld had of onzeker was en zulke werkelozen kon je niet laten solliciteren, ook dat zou ten koste van mijn uitkering kunnen gaan.

Om vijf over twee ging een van de blauwe deuren open. Ik schoot in een werkwillige houding. Er verscheen een grote vrouw met een kort bruin hockeykapsel. Ze liep loom de gang in. Zesenhalve minuut later kwam ze terug met een plastic bekertje koffie en slenterde haar kamer in. Ze sloot de blauwe deur, een schrale koffiegeur bleef in de wachtruimte hangen. Ik wist nu tenminste welke deur ik in de gaten moest houden. Dat er zich in ieder geval iemand achter een van de deuren bevond was een opluchting. Ze had me gezien, dat kon niet anders, als ik verkeerd was geweest, zou ze wel iets gezegd hebben. Of ze belde de beveiliging om me te laten verwijderen. Ik vond alles best, als ik hier maar wegkwam. Langzaam drong tot me door dat er achter me iemand zacht mijn naam noemde. Met een ruk draaide ik me om. Een kleine, spichtige vrouw met een futloos pagekapsel stond in een van de deuropeningen. Ze bekeek me argwanend terwijl ik opstond en naar haar toe liep.

Mensen met een baan zien vaak bleek, omdat ze niet veel buiten komen. Tonny van der Linden heette ze, ze was rossig en voor haar op tafel lag een map papieren. Haar doorschijnende neus prikte mijn kant op. Ze had bleke ogen alsof ze net gehuild had, zoals alle vrouwen met rood haar als ze zich niet opmaken. Vroeger noemden we een roodharige familie bij ons in de buurt de Bitaks, naar een oranjekleurig middel waarmee je roest kon wegkrijgen. Tonny van der Linden was een fletse versie van een Bitak en net als de meesten ging ze gekleed in een combinatie van zandkleuren, vaalgroen en een onbestemd paars. Hoe bleker ze zelf zijn, hoe onbestemder hun kledingkeuze, alsof ze niet goed tegen kleuren kunnen. Het is in ieder geval niet omdat het hen zo goed staat. Tonny van der Linden viel bijna weg tegen de achtergrond. 'Misschien heb je nog sollicitaties lopen waarover je ons niet hebt ingelicht, want we hebben de afgelopen maanden niets van je binnengekregen,' zei ze. 'Ik heb je dossier nog eens nageslagen, het houdt sowieso niet over de afgelopen jaren.'

'Ja, maar ja,' zei ik.

'We kunnen je een baan aanbieden. Van daaruit kun je verder solliciteren.'

Ik staarde in haar bleke ogen, met mijn handen omklemde ik de stoelzitting alsof ik er anders vanaf zou glijden.

'Bij Bruggers, de lampenfabriek, hebben ze mensen nodig. Je kunt er zo aan de slag.'

'Wat verschrikkelijk.' Het ontglipte me en geschrokken keek ik naar Tonny van der Linden.

Ze had het gehoord, maar keek niet eens op. 'Tja,' zei ze terwijl ze in mijn dossier bleef doorbladeren. 'En het is nog drieploegendienst ook.'

Toen keek ze op. Ze sloeg haar zachtgroene armen over elkaar.

Ik keek de ruimte rond, naar de kale witte muren, het aluminium raam dat uitzicht bood op een grijzig landschap vol kantoorgebouwen. Zij zat hier dag in dag uit tussen de systeemwanden. En dit was nog niet eens een fabriekshal zonder ramen die volhangt met felle tl-balken zodat je niet weet of het dag of nacht is, een galmende hal vol depressieve mensen. De kamer begon te draaien.

'Ik weet niet of ik dat kan,' piepte ik. 'Ik kan nu al vaak niet slapen.'

'Je hebt niet meer dan havo,' zei Tonny van der Linden terwijl ze in mijn dossier wees.

'Ik wil nog studeren,' zei ik.

Haar fletse ogen werden iets donkerder, met haar hoofd schuin wachtte ze af. Ik vertelde dat ik eigenlijk naar de toneelschool wilde, maar daarvoor moet je selecties doen en de kans dat je door die selecties komt was nihil. Maar dat wilde ik, in een fabriek zou ik eraan onderdoor gaan. En dan zou het nooit meer lukken, want voor zo'n selectie moest je uitgerust zijn, je moest scènes uit je hoofd leren, opdrachten doen, het was behoorlijk intensief, niet te combineren met een baan. Ik realiseerde me dat het geen sollicitatie was, en dat vond ik erg, want nu wist ik niet hoe het verder moest.

Mijn handen lagen als verkrampte klauwtjes voor me op tafel.

Door alle lawaai in mijn hoofd drong pas langzaam de zachte stem van Tonny van der Linden tot me door. Me aanmelden voor een opleiding was ook een manier om uit de uitkering te komen, dat ging ze niet stagneren, natuurlijk had ik daar tijd voor nodig, dat begreep ze heel goed. Maar ik moest wel blijven solliciteren.

Eén brief per twee weken moest ik de deur uit zien te krijgen. Er waren mensen met een baan die naast hun werk solliciteerden, en sommigen deden zo'n selectie er ook nog naast. Een mens kon meer dan ik dacht. Ik moest het maar proberen met die toneelschool en ik moest haar vooral goed op de hoogte houden. Ze stond op, stak haar hand uit en begeleidde me de kamer uit. Verdoofd liep ik de trap af en verliet het gebouw. Pas toen ik de parkeerplaats afliep en de lange weg richting de stad insloeg, drong het tot me door: ik was ontsnapt, voorlopig hoefde ik niets. Ik werd vast afgewezen maar ik ging me wel aanmelden, dan had ik in ieder geval mijn best gedaan.

Ik danste over straat, zwaaide naar toeterende auto's, draaide me om naar bouwvakkers die niet eens floten. Ik vond het bijna jammer toen ik de deur achter me dichttrok. Ik zette UB40 op, danste door de kamer en keek naar de deur. Toen zette ik de muziek uit, pakte de telefoon uit de gang en zette hem op de vloer bij de deur, het snoer stond strak, maar de deur kon nog net dicht. Ik ging ernaast zitten, vroeg het nummer van de toneelschool op en belde.

Het was aan de late kant, de inschrijftermijn was een week verstreken. De vrouw aan de andere kant van de lijn klonk losjes, regels interesseerden haar niet, dat hoorde je aan haar achteloze manier van praten. Bureaucratie was niets voor een toneelschool, maar een inschrijftermijn was praktisch. Toch kon ze een enkel aanmeldingsformulier nog wel tussen de stapel schuiven, ze zou me er een sturen en dat moest ik dan snel invullen. Nu wist ik zeker dat ik naar die school wilde, al was het alleen maar om op de administratie rond te hangen. De vrouw hielp ondertussen iemand die aan haar bureau stond, daarna pakte ze de hoorn weer op.

'Waar was ik? Had ik je adres al?'

Ze moest er zelf om lachen. Het rumoer op de achtergrond werd harder en opeens klonk er een gil.

'Niets van aantrekken, allemaal aanstellerij,' riep de vrouw. 'Welk nummer zei je?'

Giechelend gaf ik mijn huisnummer.

Zo simpel was het, misschien viel het allemaal mee en ging ik binnen de kortste keren verhuizen om aan een nieuw leven te beginnen.

Maaike was ook een Bitak, ik klopte bij haar aan en geschrokken maakte ze de deur open.

'Heb je even tijd?' vroeg ik.

Snel liet ze me binnen. Sommigen mensen zijn zo bang dat je het bijna ruikt.

Ik ging op haar poef zitten, zij op haar bed. Eindelijk trof ik haar een keer thuis. Haar kamer was niet groot, maar wel zo hoog als de mijne en stond vol spullen, waardoor die nog kleiner leek dan hij al was. In de hoek stond een basgitaar met een versterker, terwijl ik nooit iets van muziek door de muren heen had gehoord. Ik vroeg of ze weleens speelde.

'Ja, nou, die bas, die heb ik ehm...' zei ze.

De rest verstond ik niet en daarna viel ze stil. Ik begon over het etentje te vertellen, en over het voorstel van Tilly, en vooral dat zij niet had mogen meestemmen omdat ze er toevallig niet was, wat nogal onredelijk was, omdat ze er niet van wist.

'Je had ook wel mogen komen,' zei ik.

'Hoeft niet,' zei ze snel.

'En het is natuurlijk belachelijk dat jij geen stem zou hebben,' zei ik.

Ze ontweek mijn blik. 'Was dat het?' vroeg ze zachtjes.

Ik wist niet zeker of ze me wel begreep, dus vroeg ik haar of ze tegen wilde stemmen, dat hoefde ze niet zelf tegen Tilly te zeggen, dat zou ik wel doen. Ik had alleen haar instemming nodig. Ze kon desnoods haar deur op slot houden, op een gegeven moment zou het overwaaien en dan hadden we onze belangen goed kunnen verdedigen.

'Doe maar niet,' zei ze. 'Ik hoef niet per se te koken, ik wil liever geen gedoe.'

Ze zweeg, daar was ze goed in.

Ik vroeg wat ze zo deed de hele dag, omdat ik haar nooit hoorde en bijna nooit zag en dat het gek was, als je erover nadacht, omdat we al best een lange tijd met elkaar in huis woonden. Ik voelde me log en opdringerig en mijn stem klonk te hard, ik leek Tilly wel.

'Ik doe van alles,' zei ze met haar zachte hoge stem. 'Ik ben soms hier, maar ik ben ook veel weg, vandaar.'

Toen ik haar kamer verliet, prikten haar ogen in mijn rug. Vlak voor ik de deur sloot, hoorde ik haar een diepe zucht slaken. Ik schudde mijn hoofd, bleef even in de gang staan, twijfelend of ik me niet moest omdraaien, haar deur moest opengooien en roepen dat ze in actie moest komen. Maar dat deed ik niet.

Het ging me geen bal aan.

Het was al half zeven geweest, maar Tilly was er nog niet en ik had honger. Ze kon me wat, ik ging naar de keuken. Als zij niet van haar tijd in de keuken gebruikmaakte, dan mochten wij toch wel? Maar toen ik bezig was, hoorde ik de voordeur dichtklappen. Ik boog me over de snijplank en sneed de knoflook heel klein. Ik hoorde Tilly naar boven klossen, de keuken binnenkomen, de koelkast openen en sissend een blikje bier openmaken.

'Knoflook snijd je niet op de broodplank,' zei ze en verliet de keuken.

Later kwam Arie de keuken binnen. 'Nog nieuws?' vroeg hij terwijl hij ook een biertje pakte en met een piep de stoel naar achteren trok.

Ik vertelde dat ik naar de sociale dienst was geweest.

'In welke kamer zat je?' vroeg hij. Hij nam een klokkende slok.

In gedachten liep ik de trap op, maakte de draai en wist niet meer aan welke kant de ingang zat. 'Ik kreeg een baan aangeboden,' zei ik toen maar.

Even hoorde ik niets, alsof Arie was opgehouden met ademen. Toen klonk een zachte kreun. Weer was het even stil.

'Aiaiaai.'

Hij zat ineengezakt op zijn stoel, het bier hield hij ergens op weg van de tafel naar zijn mond roerloos in de lucht. Met angstige ogen keek hij me aan, alsof híj zojuist een baan aangeboden had gekregen.

'Iets bij Bruggers,' zei ik.

Weer een stilte en toen: 'Aiaiaiaiaiaiaiaai.'

Ik vertelde hoe het gesprek was verlopen, hoe het misging en hoe dat veranderde toen ik over de toneelschool begon.

'Je moet gewoon echt solliciteren,' zei ik. 'Al kun je straks alleen maar brieven laten zien die je geschreven hebt, en heb je nog geen afwijzingen binnen. Als ze zien dat je je best doet, hoeven ze niet per se onredelijk te worden.'

Ik goot de spaghetti af, roerde die door de saus en pakte een bord.

Alsof het een teken was, stond Arie op. Bij wijze van groet hief hij zijn biertje. Hij wierp een blik op de pasta die ik uit de pan op het bord liet glijden, likte zijn lippen af en verdween naar boven.

De volgende dag kreeg ik het aanmeldingsformulier van de toneelschool. Ik had verwacht dat ik alleen mijn naam en geboortedatum hoefde in te vullen en mijn diploma's moest opgeven, dingen die ik wist of hooguit even moest opzoeken. Maar het inschrijfformulier was bladzijden dik, ze wilden ook mijn ervaring met toneel weten en mijn motivatie.

Hoe leg je uit waarom je iets wilt? Ik begon een betoog over kunst, en dat het belangrijker was dan zuurstof. Maar je kunt best tien minuten zonder kunst. Ik maakte een prop van de brief en gooide hem naar de schouw. Daarna schreef ik over toneelspelen en dat je daar jong van bleef, dat je zo het kind in jezelf opdiepte en maakte er een prop van. Een paar proppen later schreef ik: ik wil naar de toneelschool, omdat ik niet in de lampenfabriek van Bruggers wil eindigen en anders word ik gekort op mijn uitkering.

Deze prop liet ik voor me op tafel liggen, ik ging naar de keuken om een biertje te halen.

Tilly stond aan het aanrecht, snel schoot ik de wc in en bedacht daar dat ik best een biertje kon pakken, dat had ze niet verboden. Ik trok door en liep de keuken in.

Tilly ging rechtop staan, in haar ene hand een mes, in het andere een krop sla. 'Rot op uit mijn keuken,' snauwde ze.

Ik griste een biertje uit de koelkast en ging snel naar mijn kamer.

Daar pakte ik een nieuw vel papier en schreef dat als je in het echte leven zenuwachtig of ongelukkig bent, dat alleen maar vervelend is, maar als je acteert is het opeens nuttig, en daardoor wordt het leven een stuk draaglijker. En vooral fijn van acteren is dat je een script hebt en dus weet hoe alles gaat lopen. Je weet wie je vijanden zijn en wie je vrienden, er worden mensen verliefd op je en die moeten aardig tegen je zijn. Zelf ben je ook aardig tegen hen, zonder dat je het gevaar loopt dat ze je belachelijk vinden, want dat staat niet zo in het script. Je weet precies hoe mensen op je gaan reageren en wat ze zullen zeggen en je eigen antwoorden heb je ook uit je hoofd geleerd. Eigenlijk gebeurt er nooit iets onverwachts, ook al moet je net doen of dat wel zo is.

Geen idee of dit was wat ze wilden horen, iets zei me van niet, maar ik was zo moe, dat ik het overschreef op het formulier, de papieren in een envelop stopte en die dicht likte.

Als ik erin zou geloven, zou ik denken dat ik vooraf gewaarschuwd werd. Dat de ellende op straat werd aangekondigd door een jongen die ik kende uit de Batterij. Hij was lang, slank, met een gezicht van elastiek. Ik was er altijd van overtuigd geweest dat hij een acteur was, zo iemand die zo spontaan is dat je al snel het gevoel hebt dat het een goede vriend is. Ik had hem nooit durven aanspreken, tot ik op een dag in de Batterij was, ik was aangeschoten en door het dolle heen en ging naar hem toe. Hij was geen acteur, hij had een baan. Van dichtbij leek zijn lenige gezicht meer een rubberen masker, hij was afstandelijker dan ik me had voorgesteld.

'Vandaar dat ik je nooit zie,' zei ik, 'als je een baan hebt, kom je overdag nooit buiten.'

Die opmerking snapte hij niet.

En nu stond hij op een willekeurige dinsdagmorgen midden op een pleintje en wenkte me.

'Kom es,' riep hij. 'Kom es hier.'

Hij had een grote stoffen tas omhangen, hij graaide erin terwijl hij me bleef roepen.

Ik bleef staan.

'Kom nou hier,' zei hij. 'Of wil jij niet weten wat de toekomst brengt?'

'Jawel,' zei ik. 'Ik zou wel willen, maar dat weet jij toch niet.'

Op dat moment wist ik nog niet eens hoe handig het was geweest om de toekomst te kennen, want toen had ik er waarschijnlijk nog iets aan kunnen doen. Hij kon het me vast niet vertellen, maar ik was wel nieuwsgierig.

De jongen trok ritselend iets draderigs uit zijn tas: bruine tape uit een cassettebandje, hij hield het de lucht in, trok het met twee handen strak en probeerde erdoorheen te kijken of het een stuk film was.

'Hier, kijk,' zei hij. 'Hier staat het, je moet het alleen goed interpreteren.'

'Dat kun je daar toch niet zien?' zei ik en bleef staan.

Terwijl hij de band nauwkeurig bestudeerde, kwam er een gekreukte wolk cassettetape uit zijn tas. Het bungelde in de lucht.

'Van die afstand zie je niets,' zei hij. 'Je moet goed kijken, hier!'

'Maar wát dan?' vroeg ik.

Hij liet zijn handen zakken, het bandje hing futloos voor zijn benen. Even keek hij zoals mijn moeder als ik er iets uitflapte. In een flits begreep ik dat ik iets verkeerd had gezegd, zonder te weten wat, en ik wist dat ik van alles moest doen om te proberen het weer goed te maken en er vooral voor te zorgen dat hij me niet zou afstoten. Dat gebeurde niet, integendeel, hij draaide zich juist naar me toe, en riep: 'Je moet het heft in eigen hand nemen! Je moet het toch zelf doen, maar dat kun je niet! Of je wilt het niet. En dan moet je het zelf weten.' Hij schudde boos zijn hoofd. 'Dan wacht je tot de film op de projector wordt gelegd en dan is het te laat.'

Ik deed een stap in zijn richting. 'Maar wat zie je dan?'

Hij staarde peinzend langs me heen, met een grote frons zei hij: 'Jij hebt geen fantasie.' Toen propte hij de tape terug in zijn tas. Keek daarna over mijn schouder in de verte en schrok of hij iets geweldigs zag. 'Ik ga een film maken,' zei hij. 'Ik ken een producer.'

'Maar zeg het dan, dat over mijn toekomst!' riep ik.

Hij draaide zich van me af en liep weg. Wat hij zei, verstond ik niet meer.

Daarna dacht ik dat ik Marcel zag lopen. Maar hij was het niet.

Of het nu was aangekondigd of niet, de volgende dag kreeg ik post. Om exact elf uur hoorde ik de brievenbus klepperen. Automatisch liep ik naar beneden en daar lag hij: de tweede brief van de sociale dienst.

14

'Laten we er maar niet omheen draaien,' zei Tonny van der Linden. 'Vorige week was je vriend hier.'

Ik staarde naar de dossiers die voor haar lagen. Het mijne lag bovenop. Kende ze Marcel? Had hij op deze stoel gezeten, tegenover Tonny van der Linden?

'Welke vriend precies?'

Tonny van der Linden was bleek als nooit tevoren. Ze keek me aan of ik een vieze vaatdoek was. Ik voelde me betrapt maar begreep niet waarop.

'Ik vind dit helemaal niet zo grappig, weet je dat?'

Ik vond het ook niet grappig, maar het lag niet aan mij dat we hier zaten. 'Ik heb me aangemeld...' zei ik, 'op de toneelschool...'

Het klonk smekend, maar ze vermeed mijn blik en legde mijn dossier opzij. Nu werd de naam op het dossier eronder zichtbaar, het stond in hanenpoten door het vakje heen geschreven – waarom past geen enkele naam ooit in dat soort kadertjes?

'A.G.M. Veldmuis?' vroeg ik.

'Veldhúís,' zei ze bits.

Nu keek ze naar me als naar een vaatdoek die zo smerig is dat je hem niet meer durft aan te pakken. Zonder dat ik begreep waar het vandaan kwam, wist ik het opeens.

'Arie,' zei ik.

'Arie Veldhuis,' zei ze.

En weer stond ik in Aries kamer. Ik had hard geklopt en was de kamer binnengestormd, als je woedend bent, doe je dat soort dingen. Arie lag op het luchtbed en keek me aan. De MAD die hij aan het lezen was, rustte op zijn buik.

'Ik kom net van de sociale dienst,' riep ik.

'Aha, zo ja,' zei Arie.

Hij tilde de MAD op om verder te lezen.

'Wat heb je tegen ze gezegd?'

Arie keek over het tijdschrift de verte in en dacht na.

'Ze denken dat we samenwonen!'

Arie knikte en wilde weer gaan lezen.

'Je hebt gezegd dat we samenwonen!'

Arie fronste zijn wenkbrauwen, het tijdschrift rustte weer op zijn buik.

'We wonen in één huis, dat zou ik gezegd kunnen hebben,' zei hij. 'Maar dat is toch zo? Bovendien konden ze dat aan het adres zien, dus ze wisten het al.'

'Je hebt gezegd dat je mijn vriend bent,' riep ik.

Arie kwam een beetje overeind en keek me angstig aan.

Het kon me niet schelen hoe hij keek.

'We zijn vrienden, min of meer, en we wonen in één huis, dat zou ik gezegd kunnen hebben. Dan heb ik toch niets gelogen?'

Het werd donkerder in de kleine kamer, Tilly was als een schaduw in de deuropening geschoven en vroeg of het wat minder kon.

'Ze denken dat we samenwonen,' riep ik.

'Dat is ook zo en daarom mogen we wel wat rekening met elkaar houden,' zei ze.

Ik legde uit wat er aan de hand was, en toen kreeg Tilly een kille blik in haar ogen. Dit keer was die blik niet voor mij, maar voor Arie. Ze eiste een verklaring, alsof Arie haar iets had aangedaan.

Aries gezicht betrok, hij vertelde dat hij was opgeroepen, een hele tijd geleden al en onlangs weer en dat was hem helemaal niet bevallen. Hij wist niet zeker of het Tonny van der Linden was, ze had geen rossig haar, niet echt, hij kon haar naam wel even opzoeken. Hij probeerde op te staan, maar als een verkeersagent hief Tilly haar hand op.

'Doet er niet toe, ga door.'

Daarop vertelde Arie hoe de vrouw hem in een hoek had gedreven, zodat hij op een gegeven moment inderdaad had gezegd dat hij bij vrienden in huis woonde en dat ik zijn vriendin was. Dat had hij alleen aardig bedoeld, omdat hij ook wel begreep dat hij het me niet altijd even makkelijk maakte de laatste tijd. Dat alles wat hij deed verkeerd uitpakte, daar kon hij niets aan doen, hij was nu eenmaal een enorme pechvogel. Wat die vrouw daarna allemaal tegen hem zei, had hij niet begrepen, van die ambtelijke taal kon hij geen chocola maken. En als wij het vervelend vonden, dan moesten we ons realiseren dat het voor hem ook niet leuk was.

'Je moet geen dingen zeggen die niet waar zijn,' zei ik.

Maar Arie vond dat hij niets verkeerd had gezegd, het was verkeerd overgekomen.

'En nu denken ze dat het zo is, terwijl het niet zo is,' zei ik. 'Toen ik zei dat ze je niet goed begrepen had, werd ze boos. En ze wás al boos.'

Ik wilde dat Arie terugging om het recht te zetten, maar Arie bleef daar liever even weg, als ik het niet erg vond. Hij bleef liever even zitten waar hij zat, hier. Met zijn vlakke hand klapte hij op het luchtbed, dat begon te golven.

'Dat kan niet,' zei ik.

Tilly gaf me een duw in mijn rug. Ik moest het nu ook weer niet op de spits drijven. Daarna ging ze terug naar haar kamers. Arie pakte de MAD weer op en plofte terug op het luchtbed.

Ik ging weer naar mijn kamer. Er moest iets gebeuren. Nu!

Eerst was Tonny van der Linden in gesprek, daarna nam ze niet op, maar uiteindelijk kreeg ik haar aan de lijn.

Het kwam er minder soepel uit dan het in mijn hoofd had geklonken, maar ik zei het wel: dat we niet samenwoonden, dat ze kon komen kijken als ze wilde, dat Arie niet te vertrouwen was.

Het bleef even stil aan de andere kant van de lijn. Ik hoorde een lange zucht en daarna haar vermoeide stem.

Ze zou me laten inplannen voor een afspraak.

15

Er stond zo'n Nederlandse standaardman voor de deur, met gedekt kapsel, gekleed in een kort jack van donkerbruine ribstof en een beige bandplooibroek. Even dacht ik dat het mijn vader was, maar hij was het niet. De man draaide zich om, en keek niet langs me heen de verte in, zoals mijn vader zou doen, hij had gejaagde ogen, waarmee hij me gespot had voor ik kon wegduiken. Ik sloeg het tuinpad in, er zat niets anders op.

De man glimlachte, maar in zijn ogen zag ik irritatie. Hij stak zijn hand uit en sleurde me bijna het trapje op. 'Dirk-Jan Gaartman, Inspectie Gemeentelijke Sociale Dienst.'

Terwijl ik mijn naam mompelde, stond hij al naar de deur te wijzen.

Trillend stak ik de sleutel in het slot.

'Schikt het als ik even kom kijken?' ging Gaartman verder. Het klonk niet als een vraag.

Ik wilde hem voorlaten, maar hij gebaarde dat ik voor moest. Hij staarde naar de grond, of hij zijn best moest doen om zijn geduld te bewaren.

Boven aangekomen vroeg hij: 'Waar zullen we beginnen?'

Ik keek hem aan en zweeg. Wist ik veel.

Zijn ogen draaiden weg en alsof het idee ter plekke in zijn hoofd ontstond, zei hij: 'Laten we bij de gemeenschappelijke ruimtes beginnen en daarna de individuele kamers bekijken.'

Hij liep al naar de keuken, opende de koelkast, boog zich voorover.

Ik ging van mijn ene trillende been op mijn andere staan,

'Eén pak melk,' klonk het. Gerommel. 'En één kuipje boter.' Hij ging door de knieën, opende de groentela, sloot hem weer, kwam rechtop en hield een blikje bier in zijn hand.

Van mij mocht hij, maar dat was niet de bedoeling.

'Weet u wat van wie is?' vroeg hij. 'Of is alles gemeenschappelijk?'

'Ik weet wat van mij is.' Mijn stem trilde.

'Van wie is de boter bijvoorbeeld?' vroeg hij. Zijn arm rustte nu op de deur.

'Van mij.'

'De anderen eten geen boter?'

Ik haalde mijn schouders op. 'Tilly heeft boven een eigen koelkastje.'

Hij trok een wenkbrauw op.

'Maaike eet niet en Arie pikt alles.'

Gaartman zette het bier terug, sloot de koelkastdeur of hij een klein kind wegstuurde. Hij strekte zijn rug en na nog een geroutineerde blik door de keuken liep hij de gang in en opende de wc-deur. 'Gemeenschappelijk wc-papier.' Hij sloot de deur en ging door naar de badkamer. 'Ik tel zeven tandenborstels,' galmde zijn stem. Met haastige klopjes op de muur zocht hij het touwtje van het licht, alsof de tandenborstels zouden ontsnappen als hij niet snel was. Het licht klikte aan. 'Zeven,' herhaalde hij.

'We hebben één badkamer,' zei ik.

Stilte.

'Het is een studentenhuis. De tandenborstels zijn van mij, Arie, Maaike en Tilly en er liggen oude bij. Ik weet het niet, niemand durft ze weg te gooien.'

Hij bestudeerde de spullen bij de wasbak, de handdoeken, de onderbroek van Arie die nog altijd onder de wasbak lag.

'Je hebt altijd met zijn allen één wc en één badkamer, zo gaat dat in een studentenhuis,' zei ik.

'Studeert u?' vroeg hij.

'Nee!' riep ik. 'Maar zo heet dat! Hoe noem je dit soort huizen anders?'

Hij deed geen moeite om te antwoorden, hij stapte de badkamer uit, ging rechtop staan en keek neutraal voor zich uit. Zijn ribjasje wipte gekreukeld omhoog. 'Zullen we de woonruimtes gaan bekijken?'

'Maar ik wil wel studeren, dat weten jullie, daar ben ik mee bezig,' zei ik terwijl ik achter hem aan liep.

Hij opende mijn deur, bekeek de tafel, mijn boekenkast, ging door naar de voorkamer, bekeek de stoelen, liep naar de alkoof, woelde door mijn dekbed, alsof hij wilde voelen of het nog warm was.

Zoiets zou mijn vader niet doen, die vroeg het hooguit als hij iets wilde weten. Maar meestal vroeg hij niets.

Gaartman kwam tegenover me staan. 'Ruime kamer,' zei hij. Hij liep langs me de gang in naar de kamer van Maaike. Hij duwde haar klink naar beneden, de deur ging niet open. 'Hebt u een sleutel?'

'Dat is de kamer van Maaike,' zei ik.

Hij keek me geërgerd aan.

'Ik kom hier nooit.'

'U heeft geen sleutel.'

Ik schudde mijn hoofd.

'Wat is haar achternaam?' vroeg hij.

Ik zei haar achternaam, ik durfde niet te weigeren, maar voelde me een verrader. Het was toch niet verboden je kamer op slot te doen?

Hij wees naar de trap.

'Daar kom ik nooit,' zei ik.

Hij keek naar de grond, zijn hand nog altijd opgeheven.

Ik ging naar boven.

De kamer van Tilly bekeek hij als mijn kamer. Ik kon alleen maar hopen dat Tilly er niet achter zou komen. Al snel stond hij weer in de gang. Hij wees naar de deur van Aries kamer.

Ik deed een stap naar achteren.

Hij zuchtte en opende de deur.

Misschien was het zijn achterhoofd, misschien de manier waarop hij stond of misschien waren het zijn vormloze billen in die platgezeten broek, maar soms hoeft iemand niets te zeggen, hoef je zijn gezicht niet te zien om te weten: als hij niet al was afgeknapt, gebeurde het nu.

Hij stond daar in de deuropening van de donkere kamer, niet meer dan een flinke gangkast, met een raampje waar nauwelijks licht doorheen kwam. Hij ging naar binnen, voelde met zijn voet aan het slappe luchtbed, bekeek kort de troep eromheen en sloot de deur. Zonder me aan te kijken, ging hij de trap af. Voor mijn deur draaide hij zich om. 'Ik heb het gezien.'

'En nu?' vroeg ik.

'Nu kan ik verslag doen,' zei hij. 'Dank voor uw medewerking.' Hij knikte kort.

Ik hoefde hem niet naar beneden te begeleiden, hij kwam er zelf wel uit.

Met een zachte klik trok hij de deur achter zich dicht.

16

Ik stond voor het raam. Ik had niets meer van de sociale dienst gehoord, ook niet van de toneelschool en op een of andere manier durfde ik het huis amper te verlaten. Dit keer was het niet mijn vaste postbode die de straat in kwam gefietst, maar een vervangster. Ze werkte zich onervaren de straat door, ze moest een paar keer terug naar haar fiets om nieuwe post te pakken. Ze had het figuur van een vette peer, waardoor het uniform haar nog slechter stond dan mijn vaste postbode. Er was een kwaadaardig gevoel voor humor voor nodig om iemand hiermee naar buiten te sturen. Ze verdween uit mijn zicht, beklom ons trapje en eindelijk klepperde de brievenbus.

Ik liep naar beneden, bekeek het stapeltje post tot ik de brief zag. Met mijn voet schoof ik de reclamefolders opzij en ik keek. Ik pakte het op. Ik had het goed gezien: de envelop, het adres, de adressering. Ik scheurde de envelop open, las de brief. Ik draaide me om, het reclamemateriaal en de rest van de post schoof onder mijn voeten weg, ik ging de trap op, beklom de tweede trap, deed de deur open.

Een dikke slaapgeur, Arie die me vanaf mijn luchtbed aanstaarde.

Ik wilde hem de brief geven. 'Kijk,' zei ik.

Arie kwam half uit zijn slaapzak en bleef me aankijken, de brief negeerde hij.

Ik boog me naar hem toe, duwde hem de envelop onder zijn neus. 'Kijk dan!'

Arie keek naar de envelop en daarna weer naar mij.

'Lees!' riep ik. 'Lees het! Wat lees je?'

Arie las: 'De familie Veldhuis...'

'Schuine streep!' riep ik.

'Schuine streep,' herhaalde Arie. Hij aarzelde. 'En dan jouw naam.'

Nog nam hij de brief niet aan, hij bleef ineengezakt zitten.

Daarom las ik het. Er was een controle uitgevoerd om duidelijkheid te krijgen over de vraag of we samenwoonden. Hoewel dit met name door een van de partners werd ontkend, is dat voor de controleur tijdens het huisbezoek niet overtuigend aangetoond. Het aantal tandenborstels in de badkamer en een gemeenschappelijk toilet zijn misschien nog geen aanwijzing voor samenwonen in wat een studentenhuis wordt genoemd, op andere punten is dit wel gebleken. Zo worden er geen aparte huishoudens gevoerd, zoals uit de inhoud van de koelkast blijkt. En er zijn slechts twee volwaardige woonruimten aangetroffen, waardoor ze aannemen dat aangeschreven partners samen op de benedenetage wonen en daarom wordt er op beide uitkeringen gekort. Mevrouw T. Buitenhaven woont zelfstandig op de bovenverdieping en behoudt haar uitkering. Hoe het met mevrouw M. Diepenhorst zit, daar kwamen ze in een later stadium bij mevrouw Diepenhorst zelf op terug.

Arie was weer gaan liggen, alleen zijn haar stak boven zijn slaapzak uit.

Ik keek door het kleine dakraampje naar buiten. Het glas was groen uitgeslagen. Was het altijd zo geweest dat je er amper lucht doorheen kon zien?

17

Weer beneden, met een halve uitkering en een jongen een etage hoger van wie iedereen behalve ikzelf vond dat het mijn vriend was, moest ik aan mijn moeder denken. Ik weet niet waarom. Ik had al een tijdje niets van haar gehoord en als ze zo stil was kwam er altijd een moment dat ik me ging afvragen of ik haar niet allang had moeten bellen. Dat hoefde vast niet, ze zei altijd dat ik me vrij moest voelen, maar ook al zou ze er niet om vragen, het was toch fijn dat ik kon uitleggen waarom ze een tijdje niets had gehoord. Ik pakte de telefoon.

Mijn vader nam op. Dat doet hij altijd als hij thuis is, mijn moeder houdt er niet van om vreemden te woord te staan. Dus ik praatte even met hem, maar op een gegeven moment vroeg ik of zij er ook was.

'Wil je niet met mij praten?'

'We hebben toch gepraat?'

Hij lachte. 'Is dit alles wat je tegen me wilt zeggen?'

'Ik mag mama toch ook spreken?' zei ik.

'Dan geef ik mama wel,' zei hij spottend en gaf de telefoon aan mama, die achter hem stond.

'Liefje, hoe is het?' vroeg ze. Zoals altijd klonk ze blij verrast, maar ook bezorgd.

'Eigenlijk niet zo goed,' zei ik. 'Ik zit een beetje in de problemen.'

Even was het stil. Toen zei ze: 'Weet je dat dit een van de ergste dingen is die mij kunnen overkomen, dat het niet goed met jou gaat?'

'Ja,' zei ik. 'Maar ja.'

'Wat is er, wat kan ik doen?' Ze klonk wat gejaagder. 'Je weet dat je altijd kunt bellen, dat weet je, hè?'

'Ja,' zei ik.

'Je kunt op me rekenen, ik ben je moeder,' zei ze.

'Ja,' zei ik om haar gerust te stellen.

'Vertel, wat is er.'

Ik vertelde haar over Arie en hoe hij op bezoek was gekomen, ik kon er niet omheen om over hem te vertellen, hoe erg me dat ook tegenstond. Ik vertelde hoelang het bezoek geduurd had en dat hij nu bij ons was ingetrokken.

'Dat is mijn grootste angst,' zei ze. 'Dat er iemand op bezoek komt en niet meer weggaat. Ik zou niet weten wat ik zou moeten doen, ik zou er wanhopig van worden.'

'Ja,' zei ik. 'Maar zo erg is het niet,' zei ik om haar gerust te stellen.

'Het is wel erg,' zei ze, haar stem klonk opgewonden. 'Ik heb tijd nodig om alleen te zijn, het is niet uit te houden als je op elkaars lip zit. Dat geldt ook voor jou, ik ken je.'

Ik zei dat ze natuurlijk gelijk had, maar dat ik er redelijk goed tegen kon op dit moment, dat je dat soms hebt, ik wilde haar niet van streek maken.

'Maar wat is er dan gebeurd?' vroeg ze met een hoge stem.

Ik vertelde dat hij nu een eigen kamer had en dat dat eigenlijk beter was zo, dat het ook een soort opluchting was. Maar toen vertelde ik haar voorzichtig ook iets over de sociale dienst en over de controle. 'De controleur was net papa,' zei ik. 'Hij luisterde niet, ik had het gevoel dat het hem niets kon schelen.'

'Papa kan het wel schelen,' zei ze. 'Dat zie je niet altijd van de buitenkant, maar het is wel zo, dat weet ik. Je moet alleen op een bepaalde manier met hem omgaan. Je moet het goede moment afwachten en dan rustig tegen hem zeggen wat je echt wilt zeggen. Hij heeft de tijd nodig om dingen te bevatten, hij moet je kunnen volgen, dus moet je het handig brengen, maar als je daar rekening mee houdt, kun je het hem goed uitleggen.'

Ik zei dat ik dat wel begreep, maar dat dit bij de controleur niet zou werken, omdat ik hem niet meer zou zien. Ik had al een brief gekregen met zijn oordeel. Ik zou gekort worden. Ik haalde de brief erbij, las hem voor. Mama begon over de toon van de brief en hoe erg het was, en toen zei ze weer dat er met de controleur best te praten was.

'Maar Tonny van der Linden is mijn contactpersoon,' riep ik.

'Dat is goed,' zei mama. 'Die vrouw lijkt me heel redelijk. Als je uitlegt hoe het zit, snapt ze het vast wel.'

Mama deed haar best, dat wist ik wel, ze moest niet denken dat ik dat niet zag, maar het klopte niet helemaal wat ze zei. Dus vertelde ik dat ik bang was dat er niets meer viel uit te leggen aan de sociale dienst, dat het voorbij was en dat het financieel nu best lastig was, omdat ik geen volledige uitkering meer had, omdat ik nu samen met Arie met een uitkering moest doen. En op hem had ik geen controle.

Mama begreep het. 'Ik zou desnoods maar zo zuinig mogelijk zijn. Maar er zal je verder niets gebeuren, liefje, je hebt ons. Je zult altijd te eten hebben, dat beloof ik aan God of wie ook daarboven zit. Als de nood aan de man komt, moet je me gewoon bellen en dan ben ik er voor je. Ik ga veel liever zelf ten onder dan dat ik jou in de problemen zie, want daar zou ik niet tegen kunnen, dat is onmogelijk voor een moeder. Ik laat je niet vallen.'

Ik bedankte haar. Ik wilde niet dat ze zich ongerust maakte.

'Je hoeft me niet te bedanken, daar kan ik niets aan doen, dat is iets biologisch. Moeders springen altijd voor hun kinderen in de bres, desnoods ten koste van zichzelf.'

Ik zei dat ik dat fijn vond om te horen.

'Het komt goed, dat weet ik zeker,' zei ze ferm. 'Je belt me als er iets is, anders ga ik me zorgen maken, dat moet je beloven.'

Ik beloofde het.

'Echt doen, hè? Niet vergeten.'

Ik zei dat ik het niet zou vergeten, dat ik het zou doen, maar dat ze zich over mij verder geen zorgen moest maken, en dat het me echt goed deed wat ze allemaal zei. 'Nou, dag hè.' Ik probeerde het zo zorgeloos mogelijk te laten klinken, zodat ze zich achteraf niet ongerust zou hoeven maken.

'Dag,' zei ze. 'Dag hoor, liefje.'

Snel hing ik op.

Ik voelde me heel moe en leeg en voor het eerst in lange tijd begon ik te huilen.

18

Ik hoor het aan je stem als het niet goed met je gaat, dan klink
je een halve toon lager. Het was zo onverwacht dat je belde, na
zo'n lange stilte, dat ik even niet wist wat ik moest zeggen.
Maar papa gaf me de telefoon, ik moest wel. En toen begon je
te vertellen. Telefoongesprekken waaieren alle kanten op, je
kunt niet goed nadenken over wat je zegt en je kunt het niet
achteraf verbeteren, dus vraag ik me af of het er goed is uit
gekomen. Meestal kan ik er wel een beetje op anticiperen,
maar je had zoveel te vertellen, het kwam allemaal zo
onverwachts, dan zeg je dingen waarover je vooraf niet had
nagedacht. Ik ben soms onhandig, dat moet je me maar niet
kwalijk nemen, soms lijkt het of er veel van zo'n gesprekje
afhangt.

Als het slecht gaat met je kind is dat onverdraaglijk voor een
moeder. Ik heb altijd alles proberen te doen wat in mijn
vermogen ligt om te zorgen dat het goed met je gaat, dat is
onder andere wat ik je had willen zeggen. Ik ben er voor je als
jij het moeilijk hebt, zoals ik er ook was om je te voeden, te
kleden, om te zorgen voor een veilig dak boven je hoofd.

Ik hoorde aan je stem dat het niet goed ging, ik luisterde
naar je. Dat doen moeders. En ik begrijp je, ook al heb jij dat
gevoel soms niet. Ik ben zelf ook in de war geweest. Als kind
ging het wel, maar toen ik ouder werd wilde ik van alles terwijl

ik zag dat het niet mogelijk was, niet voor mij. Op jouw leeftijd had ik het gevoel dat mijn leven was afgelopen, terwijl dat het begin had moeten zijn. Ik was diep wanhopig. Ik snap dat het moeilijk voor je is, maar weet dat het niet het einde van de wereld is. Jij staat er zoveel beter voor dan ik destijds.

Misschien zei ik net niet precies het juiste – ik heb altijd het gevoel dat ik tekortschiet – maar ik luisterde wel en dat is meer dan ik van mijn moeder kan zeggen.

Je vertelde over Arie, over het bezoek, dat lijkt me zo verschrikkelijk. Het idee alleen al, daar zou ik wakker van kunnen liggen, volgens mij sloeg jij je er nog best goed doorheen.

Je vertelde over de uitkering en de korting en daarna las je een brief voor die je kreeg.

Ik weet dat zulke brieven koud, gevoelloos en formeel zijn en dat je daar geen weerwoord op hebt. Maar dat wordt ook helemaal niet van je gevraagd. Zo'n contoleur die zulke brieven schrijft, dat is een gewone man, met familie, vrienden en zijn eigen dromen, maar als je zulke brieven leest, zou je dat bijna vergeten. Ik vind het niet raar dat je van zulke brieven schrikt, radeloos kun je ervan worden! Maar je zult moeten leren ertegen te kunnen, net zoals ik dat ook heb geleerd. Wat ik vooral wil zeggen: om in de maatschappij te kunnen mee-draaien, moet je een beetje eelt op je ziel zien te krijgen. Als je het zo ziet, is het misschien wat beter te verdragen. Misschien kun je het als oefening zien.

Dat er in de brief gesteld wordt dat je samenwoont, ik kan me voorstellen dat je daarvan schrikt. Het is onaangenaam als vreemdelingen zich met je gaan bemoeien. Ik heb dat zelf ook ervaren. Alleen kan ik me er misschien iets beter bij neerleggen, terwijl jij altijd al onafhankelijk hebt willen zijn, als kind al. Ik wist nooit wat er in je omging. Uren zat je op de bank en staarde je voor je uit, dan liet ik je maar met rust, omdat ik niet dezelfde fout wilde maken als bij mij is gebeurd, ik wilde je niet opjagen. Ik dacht: het komt wel. Ik heb echt mijn best gedaan.

Je had de brief voorgelezen en ik wilde eigenlijk zeggen: wat kan je gebeuren? Ik had het willen nuanceren, het lichter voor je maken. Maar dat zou je verkeerd kunnen opvatten. Zo bedoelde ik het niet. Ik had willen zeggen: jullie zijn niet getrouwd, de omgeving verwacht niet van je dat jij en Arie gezellig gaan zitten doen, jullie blijven zelfstandige individuen. Ik had er jaren voor nodig voor ik daarachter was. En dat je dan samen in één huis woont en dat zo'n controleur daar het woord 'samenwonen' voor gebruikt, daar hoef je niet zo mee te zitten: het zijn maar woorden. Zo'n controleur kan zeggen wat hij wil, hij kan toch niet veranderen wat je voelt? Ik weet waarover ik het heb en zal ik je nog iets sterkers vertellen? Ik weet zeker dat het jou niet zal overkomen. Je bent sterk, maar ook gevoelig. Dat was je als baby al. Als er iemand boven je wieg verscheen, werden je ogen groot en spreidde je je armen uit, alsof je werd aangevallen. Je was een baby om te beschermen tegen de buitenwereld en dat deed ik, maar toch schrok je, wat ik ook deed. Ik vond dat soms best lastig.

Het was niet zozeer de brief, het waren de gevolgen waarmee je zat. Het geld, geloof ik. Was het het geld? (Altijd weer dat geld.)

Ik wilde het sussen, zoals een moeder dat wil die het beste met haar dochter voorheeft, zo'n samenlevingsuitkering is genoeg om samen van te eten, dat is hier zo goed geregeld. Jij zult echt nooit van de honger omkomen, niet in dit land. Dat weet je toch? Er is eten genoeg, en anders kom je desnoods een keer hier eten. Ik zou je willen opvangen, ik had je willen vertellen hoe ik zelf door de magere jaren in mijn leven heen was gekomen en dat ik weet dat het leven toch altijd blijkt door te gaan. Er is altijd wel ergens geld te vinden. Het hoeven niet per se de slechtste jaren van je leven te zijn. Maar dat durfde ik allemaal niet te zeggen, dus zei ik alleen dat je desnoods even zo zuinig mogelijk moest doen.

Ik hoop dat het goed is overgekomen. Ik twijfelde of ik je nog moest terugbellen, want dan kon ik vragen of het goed was overgekomen en of het allemaal weer gaat, of ik goed reageerde.

Ik heb trouwens ook op het punt gestaan om naar je toe te komen, ik had bij wijze van spreken mijn jas al aan. Maar je vroeg er niet om en daarom heb ik ervan afgezien en ben ik thuisgebleven, tegen mijn eigen gevoel in.

19

Arie zat tegenover me. Hij keek zo vrolijk dat ik even dacht dat hij een oplossing had gevonden. Maar hij legde uit: 'We moeten er het beste van maken, dat zei Tilly ook al, dus daarom heb ik zitten denken...' Hij legde een schriftje met harde kaft op tafel. 'Kijk, hier. Omdat we samen moeten eten, want dat scheelt geld, dus wat we aan boodschappen uitgeven, kunnen we hierin opschrijven.' Hij sloeg het schrift open, op de eerste pagina had hij verticaal een kaarsrechte streep getrokken. Rechts stond mijn naam, links de zijne, met daaronder een horizontale streep en onder zijn naam twee bedragen:

Schrift: fl 2,43;

Pen: fl 0,45.

Ik pakte een van de pennen van tafel en hield die omhoog. 'Die had ik al,' zei ik.

Arie pakte de pen aan en legde hem op zijn schriftje.

Ik griste hem terug.

Arie legde zijn handen op elkaar, leek een beetje beledigd, maar hernam zich. 'Wie kookt er vanavond?'

'Jij!' riep ik.

Geschrokken keek hij me aan.

'Maar natuurlijk,' zei hij.

Hij klapte het boekje dicht en stond op.

Arie had het gezellig gemaakt, hij had de gordijnen half dichtgetrokken, de keukentafel gedekt. Er lagen servetjes naast het bestek en er stond een kaars op tafel en ook eentje op het buffet, naast het huishoudschriftje. Met verwarde haardos stond hij bij de tafel. Hij droeg een nieuw shirt. In zijn handen had hij twee bordjes salade met daarbovenop een paar dampende gamba's. Hij keek zo blij als een kind dat jarig is. 'Ze zijn niet zomaar van de markt,' zei hij. 'Ze komen van de viswinkel in de stad, hoe heet die? Arends-Jan en volgens mij zijn zonen.'

Hij was aardig, waarom dacht ik dat hij daar een reden voor moest hebben? Waarom was ik zo akelig achterdochtig? Zwijgend begon ik te eten.

'Hoe was je dag?' vroeg Arie opeens.

'Goed,' zei ik.

Hij knikte langzaam of hij het antwoord diep tot zich wilde laten doordringen, alsof hij zich er een voorstelling van probeerde te maken. Daarna vroeg hij: 'Wat heb je gedaan?' Hij prikte met zijn vork de salade van zijn bord en wachtte geduldig op mijn antwoord. Zorgvuldig nam hij een hap, hij deed alles zo goed mogelijk. De saladedressing rond zijn mond glinsterde.

'Ik heb iets gelezen,' zei ik. Mijn stem klonk geknepen, een beetje als mijn moeder als ze jarig is.

Arie veegde met de rug van zijn hand ontspannen zijn mond af.

'En jij?' vroeg ik.

Hij veegde zijn handen af aan zijn nieuwe shirt. Het zag er niet goedkoop uit, maar de lichte kleur was tegen vette handen minder goed bestand dan de geruite hemden die hij doorgaans droeg. Er stonden nu tien vette vingers op zijn buik.

'Ik heb gewandeld met de hond. Het was heerlijk weer.' Hij schoof zijn bord van zich af. 'We zijn een heel eind weg geweest, tot aan de rand van de stad. Als je een tijdje zo aan het lopen bent, voel je de echte vrijheid.'

Het weer was fantastisch geweest, hij wilde nog lang niet

terug, maar hij begreep dat hij wel moest, want hij had verplichtingen, hij moest boodschappen doen en koken. Met vochtige ogen keek hij me aan. Hij had couscous met lamsvlees gemaakt. En daarvoor had hij niet het eerste het beste afvalvlees genomen.

Ik knikte. Wat was daar mis mee? Waarom voelde ik een strakke band om mijn borstkas waardoor het ademhalen moeilijker werd?

Het vlees was lekker, maar het was veel. De kaars naast het schriftje walmde. Ik zag ook nieuwe potjes kruiden staan. Die waren speciaal voor dit soort gerechten, legde Arie uit. Hij was op de terugweg trouwens nog langs ons oude huis gelopen. Hij beschreef het huis alsof we er samen gelukkig waren geweest.

Na het eten stond Arie midden in de keuken, zijn handen diep in zijn zakken, zijn buik met de afdruk van tien vette vingers stak vooruit. Moest hij helpen met afdrogen? Op het aanrecht had zich een Arie-achtig berglandschap gevormd. Ik schudde mijn hoofd, hij mocht gerust naar zijn kamer.

Eindelijk was ik alleen. Ik maakte warm sop en begon af te wassen. Naarmate het berglandschap afvlakte, werd het stil van binnen. Ik zette de laatste schone kommetjes in de kast en bleef even staan.

Als vanzelf ging mijn hand naar het schriftje. Ik sloeg het open op de plek waar de pen lag. Het vlees, de gamba's, de kaas waren duur geweest, hij had veel kruiden gekocht en ook de servetten en de kaarsen stonden erbij. Maar het ergste stond onderaan. Hij had zijn shirt bij de boodschappen geschreven. Ik klapte het schriftje dicht, zette koffie en ging met twee bekers naar boven.

Arie gaf me groot gelijk. Natuurlijk behoorden kleren niet tot de gemeenschappelijke boodschappen, hij had er niet bij stilgestaan, stom. Dat bedrag kon ik gerust wegstrepen.

20

Voor een selectieweekend heb je veel informatie nodig. Daarom ontving ik niet alleen een brief met een adres, maar een hele stapel papieren. Ik begon her en der te lezen en wilde er het liefst mee stoppen, maar dan kreeg ik gedoe met de sociale dienst. Ik haalde een keer goed adem en begon opnieuw.

Het weekend zag er als volgt uit: op zaterdag zouden we lessen met improvisatieopdrachten volgen zodat we een idee kregen hoe het op school zou gaan en om ons spelinzicht te testen. Op zondag kregen we weer lessen en een auditie, want dat hoorde nou eenmaal bij het vak. Voor de auditie moesten we een monoloog uit ons hoofd leren. Na afloop zouden we horen wie door mocht naar het volgende selectieweekend.

Ik wist niets van theater, ik had geen toneelstukken in huis, hoe zoek je dan een monoloog 'waarin je jezelf kunt uiten'? Een tijdje zat ik als verlamd naar de muur tegenover me te kijken. Opeens pakte ik mijn jas en trok de deur achter me dicht.

In de bieb meende ik een paar keer het warrige hoofd van Arie te zien, maar de ene keer bleek het een medewerker van de bieb te zijn, de andere keer een bezoeker. Ik zag zelfs een keer een bruine catalogus die tussen de boekenkasten door schemerde voor Arie aan. Arie was er niet. Waarom zou hij ook, wat moest hij in de bieb?

Een oudere vrouw met een donkerblauwe trui met een beertje erop hoorde me geduldig aan. Alsof ze wel vaker mensen te woord stond die moesten solliciteren, die niet in een goed blaadje stonden bij de sociale dienst en die zich nu geen fouten meer konden veroorloven en dat ik dus auditie moest doen, waarvoor ik een monoloog uit mijn hoofd moest leren en daarom wilde weten waar de kast met toneelstukken stond. Sluipend ging ze me voor tot we bij de kast met dunne boekjes stonden. Ze trok een boekje uit de kast. 'Hier, je kunt natuurlijk altijd Shakespeare nemen, *Romeo en Julia*.' Haar adem rook naar koffie. 'Of neem dit prachtige stuk van Albee, heel beroemd, mooie tekst.' Even hield ze het boekje in haar hand en gaf het zuchtend aan mij. 'Dan heb je Pinter, hier. En dit, *Wachten op Godot*, dat is weer iets heel anders.' Ze gaf me het boekje. 'Absurd,' zei ze. Ze knikte geruststellend naar het boekje. 'Absurd toneel. Je moet maar kijken.' Toen sloop ze weg.

Ik wachtte tot ze in het woud van boekenrekken was verdwenen en nam de kortste weg naar beneden om de boekjes te laten afstempelen.

Ik sloeg een andere weg in, ik wilde nog niet naar huis en zo kwam ik langs de tent van theatergroep Cultuurgoed. Daar ergens moest dus mijn toekomst liggen. Op zwoele zomeravonden was het prachtig, nu regende het en was het koud en onbehaaglijk. Ik sloeg een wijk in waar ik zelden kwam. Ik liep vlak langs de gevels, toen opeens een deur openging en Marcel naar buiten stapte.

'Hé, Lotte!' Zijn stem schoot de lucht in. 'Wat leuk.'

'Ik wist niet dat je hier woonde,' zei ik.

'Ja,' zei hij. 'Ik ging net weg, maar...'

Hij had zijn leren jasje aan, zijn rechterhand rustte op de deurknop. 'Niet dat het dringend is of zo.' Zijn kuif krulde over zijn voorhoofd, hij had volle lippen en het kuiltje in zijn kin was dieper dan ik me herinnerde. 'Helemaal niet.' Hij duwde de deur weer open, wees de gang in. Zijn hand leek op die van Agent 327, mooi en stevig. 'Daar. Ik woon boven.'

'Ah,' zei ik. 'Boven.'

Alsof hij ter plekke een idee kreeg, zei hij: 'Wil je het zien?'

'Je hebt het niet druk of zo?'

Hij schudde zijn hoofd. 'Jij?'

Ik liet mijn tas zien, maar dat begreep hij natuurlijk niet.

Hij deed een stap opzij zodat ik erlangs kon.

'Het is niet...' Ik stopte, want het deed er niet toe en ging langs hem heen.

Boven aan de trap, voor ik me omdraaide, zei hij: 'Verder naar boven, naar de zolder.'

Van de zolder had ik me van de buitenkant geen goede voorstelling kunnen maken. De ruimte was veel groter dan ik had verwacht, met witgeverfde houten muren en ruwhouten balken die het puntdak ondersteunen. Pal naast de deur stond een tafel met drie stoelen eromheen. Ertegenover in de hoek rechts een zelf in elkaar getimmerd tweepersoonsbed, in de linkerhoek twee donkergroene fauteuils. Ik ging aan de tafel zitten, met mijn rug naar de kamer. Voor me lag een boek van Ortega y Gasset met zwartgeblakerde kaft, hij had het bij de brandschade gekocht. Marcel ging naar het keukenblokje dat zich bevond achter een van de balken. Hij zette koffie in een zilveren cafetière, schonk er warme, opgeklopte melk bij en ging toen dwars op zijn stoel zitten, met zijn rug tegen de houten muur. We proostten met mokken koffie of het pullen bier waren, hij knipoogde, keek naar buiten en toen weer naar mij. We dronken.

Die middag hadden we het over verse melk, net uit de koe en of ik dat weleens had geproefd. Hij kwam van de boerderij. We hadden het over boeken en over de zwaarverzilverde cafetière die hij van een vriend had gekregen, omdat hij hem ooit een dienst had bewezen, en ik vertelde over de toneelstukken in mijn tas, dat ik een monoloog moest kiezen waarin ik mezelf kon uiten, maar dat ik niet wist hoe, want waarom zou ik mezelf eigenlijk per se moeten uiten? Misschien kon ik de boekjes beter gelijk terugbrengen, dan kreeg ik tenminste geen boete.

'En wat als je gewoon een monoloog uitkiest en uit je hoofd leert?' vroeg hij.

Ik haalde mijn schouders op.

'Lijkt me best leuk, jij op een podium...' Hij lachte of we aan het spijbelen waren. 'Kom eens hier,' zei hij. Bijna alsof het per ongeluk was, slingerde hij zijn arm om me heen en gaf me een zoen.

Zijn dekbedhoes was rood-wit gestreept, we lagen tegen elkaar, hij zoende mijn nek, mijn schouder, mijn mond.

'Vind je het erg als ik mijn onderbroek uittrek?' vroeg hij.

'Nee,' zei ik.

Hij wurmde en trapte hem uit, en met een tikje duwde hij hem over de bedrand. Hij lachte.

Zijn hand op mijn heup, hij keek naar me, ondeugend. 'En je T-shirt, wil je dat aanhouden?'

Ik richtte me een beetje op om hem te helpen, hij trok het uit.

Zijn hoofd in mijn haar, met zijn handen tastte hij mijn rug af, kroop naar beneden, eindigde bij mijn slipje. 'Mag het?' vroeg hij. 'Het hoeft niet hoor.' Hij lachte verlegen.

Ik trok mijn slipje uit, verborg mijn hoofd in zijn schouder.

'Mmmm,' zei hij.

Vierentwintig uur later stonden we weer buiten bij zijn voordeur. Hij ging met de fiets naar de vriend van de cafetière, ik ging maar eens terug naar huis. De tas met boeken hing weer aan mijn schouder.

Hij lachte. 'Dag,' zei hij en bleef staan. 'Ik vond het gezellig.'

'Dag,' zei ik.

Hij legde zijn arm om me heen, gaf me terloops een zoen en

daarna nog een. Hij liet los. 'Nu weet je waar ik woon,' zei hij. Zijn arm hing langs zijn lichaam.

'Dag,' zei ik.

Ik zat op mijn stoel en bladerde de toneelteksten door, sloeg Shakespeare open bij een scène waarin twee mannen met elkaar praatten. Ik keek door het raam en dacht aan Marcel, hoe hij had gezegd: 'Kom eens hier.' Hoe hij was gaan staan, lachend, of we aan het spijbelen waren.

Hij strekte zijn arm uit, ik was opgestaan.

'Die het verterend vuur van uwe woede/ Met purperstroomen uit uw aad'ren bluscht,' las ik. Dat was het probleem met Shakespeare, dat kreeg ik nooit fatsoenlijk mijn mond uit.

Toen Marcel gisteravond op zijn zij lag, zijn hand onder zijn hoofd, had hij me nieuwsgierig aangekeken. Het begon al donker te worden.

Ik legde het boek weg en pakte *Wachten op Godot*. Kom op, concentreren! In dit toneelstuk waren twee mensen met elkaar aan het praten. Ze wisten zelf niet hoe het zo gekomen was dat ze er zaten, daar hadden ze het juist over.

'Geinig,' had Marcel op een gegeven moment gezegd. 'Dat je daar liep. Ik had vanochtend nog aan je gedacht. Toevallig was het. Leuk toevallig.'

Ik sloeg het boek dicht, opende het weer en las: Laarzen moet je elke dag uittrekken, hoe vaak moet ik dat nog uitleggen?

Hij had halfhoge laarzen gedragen, één stond bij de stoel, de andere lag er omgevallen naast. Zijn broek over de stoel, de pijpen raakten zijn laarzen, of hij alles in één beweging had uitgetrokken.

Ik schudde de beelden weg, las verder, maar na een tijdje legde ik het boek weg.

'Je moet het niet te ingewikkeld maken,' had hij gezegd. We zaten nog aan tafel. 'Soms moet je gewoon beginnen.'

Ik hoefde het niet te snappen, ik moest alleen een tekst uit mijn hoofd leren. Ik pakte *De huisbewaarder* van Pinter. Ik vond een stukje over een zwerver, alweer met schoenen. Dat was gewone tekst, dat moest ik kunnen onthouden.

'Wat heb jij lange armen,' had hij gezegd. We lagen tegen elkaar aan, onze armen boven het rood-wit gestreepte dekbed. 'En lange vingers... pianovingers,' zei hij. 'Ik speel geen piano,' zei ik. 'Dus daar heb ik niet veel aan.' Hij lachte. 'Toch wel. Je zou piano kunnen leren spelen.' Hij pakte mijn hand en hield hem in de lucht zodat hij hem goed kon zien. 'En verder heb je er ook best iets aan.' Hij bekeek mijn hand of het een vreemd voorwerp was en legde hem op het gestreepte dekbed. 'Lotte,' zei hij en zuchtte.

Ik pakte pen en papier en schreef de monoloog over. En nog een keer en nogmaals, net zo lang tot er geen fouten meer in zaten. Daarna probeerde ik de tekst te leren.

'Weet je wat grappig is,' had Marcel gezegd, toen hij de lampjes in zijn kamer een voor een aanklikte. 'Ik had je al veel eerder gezien. Maanden eerder zag ik je in Oblomov, ik zag je lopen en dacht: die is leuk.'

Eerst kon ik het niet onthouden, maar ik ging door met leren, ik probeerde niet meer aan Marcel te denken, niet aan gisteren, ik begon steeds opnieuw met lezen. Opeens bleef er een groot deel van de tekst hangen, maar even later was ik alles weer kwijt.

Er werd op de deur geklopt, het volgende moment stond Arie om de hoek te loeren.

Ik vouwde het vel papier op en duwde de boekjes onder mijn stoel. Hij stapte naar binnen, maar ik liep op hem af, versperde hem de weg. Ik stond veel te dichtbij, maar ik deed geen stap naar achteren.

'Wat doe je?' vroeg hij. Hij loerde over mijn schouder de kamer in.

'Niks,' zei ik en duwde hem de gang in.

'De komende dagen moeten we maar niet samen eten,' zei hij, maar het was of hij twijfelde.

'Dat is goed,' zei ik. 'Doen we.'

Ik sloot de deur en vroeg me af of Marcel alweer thuis zou zijn, of dat hij bij zijn vriend zou blijven eten.

21

Na een paar dagen leek het al weken geleden dat ik bij Marcel was geweest. Ik wilde het liefst bij hem langsgaan, maar ik had geen telefoonnummer en zomaar aanbellen was misschien te opdringerig. Een keer had ik mijn jas al aan, maar ik trok hem weer uit en bleef binnen. In huis probeerde ik iedereen zo veel mogelijk te ontwijken. Als ik iemand over de trap hoorde lopen, bleef ik binnen tot de buitendeur dichtklapte of tot ik de voetstappen weer naar boven hoorde gaan. De zaterdag van de selectie naderde en ik kreeg het steeds benauwder bij het idee.

Vrijdag belde ik mijn moeder. Ze had gevraagd of ik haar op de hoogte wilde houden en dan moest ik dat wel doen. Of meer: ik voelde me bang worden bij de gedachte dat ik haar niet zou bellen. Ze zou het vervelend kunnen vinden of er verdrietig van kunnen worden of zelfs boos, hoewel ik me dat laatste ook weer niet kon voorstellen. Dus belde ik haar voor de zekerheid. Ik vertelde over de selectie.

Ze vond het leuk voor me dat het zou beginnen en ze vroeg zich af hoe je erachter komt of je de juiste keuzes maakt in het leven en dat je dat misschien wel nooit helemaal zeker weet. Ik zei dat ik daar niet zo mee zat, dat ik nu vooral tegen de selectie opzag en of ik de tekst wel uit mijn hoofd zou kennen morgen. Daar werd ze zenuwachtig van. Ik probeerde haar gerust te stellen, zei dat het misschien wel goed was dat ik me er een beetje druk over maakte, dan ging ik tenminste iets doen en dan zou het vast wel goed komen. Ze zei dat het haar verschrikkelijk moeilijk leek, dat zij niet wist of ze dat zou kunnen. Daar werd ik een beetje zenuwachtig van. Ik zei dat ze zich echt niet ongerust hoefde te maken en dat ik hoopte dat ze een fijne dag had en hing op. Ik hoopte maar dat ik haar niet te veel van streek had gemaakt, misschien had ik niet zoveel moeten vertellen, zou ze er van wakker gaan liggen. Gelukkig had ik haar niets over Marcel verteld, dat kon altijd later nog als het nodig was en anders kwam ze er niet achter.

Ik ging thee zetten en schrok toen ik in de keuken Arie aan tafel zag zitten.

'Hé, hoi hoi,' zei hij.

'Ha,' zei ik.

Ik had de theepot bij me, dus ik kon niet gelijk terug naar mijn kamer gaan. Ik zette de ketel op het vuur.

'Hoe gaat-ie?' vroeg Arie.

'Met jou?' vroeg ik.

'Wat ben je toch allemaal aan het doen?' Arie verschoof zijn stoel. 'Ik zag je zo bezig laatst. Ik dacht: misschien weten we wel niet zoveel van elkaar, dus daarom vroeg ik het me af. Vandaar.'

'Ja,' zei ik en spoelde een mok om.

'Ik dacht dat ik boekjes zag liggen laatst, dunne boekjes, dus vandaar,' zei hij.

'O,' zei ik. 'Dat is niks.'

'Ze lagen er,' zei hij. 'Toneelstukken volgens mij, dus vandaar.'

'Zou kunnen,' zei ik. 'Maakt niet uit toch?'

'Ben je aan het lezen?' vroeg hij. 'Is het interessant, bedoel ik, is het te volgen? Want soms is het best ingewikkeld met die monologen.'

Ik draaide me om. 'Monologen?'

'Ja... in de toneelstukken...'

Als versteend staarde ik hem aan.

'Daarin staan toch monologen en zo?' Arie deed of hij dit geduldig aan me uitlegde, maar ik zag een rilling over zijn gezicht trekken alsof er spanning zat onder het dikke vlees op zijn gezicht.

'Hoezo begin je over monologen?' vroeg ik.

'Daar hoorde ik je laatst over,' zei hij.

Ik had in huis met niemand gepraat de afgelopen tijd en al helemaal niet over monologen.

'Je zoekt toch een monoloog?'

'Hoe weet je dat?' vroeg ik. 'Maak je mijn post open?'

Arie schudde heftig zijn hoofd.

'Hoe weet je het dan?' drong ik aan. 'Hoe weet je dat ik een monoloog zoek?' Ik ging voor hem staan.

Arie staarde voor zich uit. 'Ik krijg zelf ook post,' zei hij. 'Dat stond in mijn brief.'

Ik voelde me ijskoud worden. 'Hoe bedoel je?'

Arie schoof zijn stoel naar achteren, achteloos, of hij weer eens wilde opstappen, maar ik bleef vlak voor hem staan. Hij kon niet anders dan blijven zitten.

'Hoe bedoel je, Arie?'

Hij zakte ineen alsof hij een opblaaspop was waar de lucht werd uitgelaten. Zuchtend zei hij: 'Ik heb me aangemeld. Ideetje, kwam door de sociale dienst.'

Ik bleef roerloos staan.

'Het moest wel, ik had niet gesolliciteerd. En het was een goede oplossing, ik bedoel: het leek me best leuk,' zei hij.

Ik keek naar buiten, maar zag niets.

'Je kunt me toch niet verbieden iets te doen wat me leuk lijkt, omdat jij het toevallig ook wil?' Zijn stem klonk zacht.

Het was of alle energie uit me was weggevloeid.

'Het kan best gezellig zijn, denk je niet? Je kent daar toch niemand? En ik word niet aangenomen, ik kan het niet, ik heb nooit toneelgespeeld.' Hij keek omhoog. 'Ondertussen ga ik een baan zoeken. Ik doe dit omdat die dikke vrouw van de sociale dienst dan tevreden is en daarna ga ik werken en ben ik weg. Dan zijn alle problemen in één klap opgelost.'

Het water kookte al een tijdje. Ik ging naar het gasfornuis en schonk het water op.

Arie stond op, liep de gang in, draaide zich nog een keer om. 'Je bent mijn vriendin, wat je ook zegt,' zei hij en ging naar boven.

22

Morgen is de grote dag, of eigenlijk vandaag al. Wat zal het spannend voor je zijn. Ik heb de hele dag aan je moeten denken en ook vandaag zal het me geen moment loslaten. Ik hoop dat het meevalt, waarschijnlijk valt het mee en is het nog leuk ook. Ik had je graag nog even willen terugbellen om je succes te wensen, je een hart onder de riem te steken, maar dat durf ik niet goed. Ik hoopte dat jij nog zou terugbellen, maar dat deed je niet. En dus zit ik er nu alleen mee terwijl jij tussen de mensen bent.

Soms voel ik me verward, dan weet ik niet of je geërgerd klinkt of niet. Dat is nooit mijn bedoeling, integendeel, dat is het laatste wat ik wil. Maar ik heb niet alles in de hand, het is soms heel lastig.

Het moet voor jou makkelijker zijn dan voor mij vroeger. Want zoals jij en ik praten, zo openhartig kon ik vroeger niet tegen mijn moeder zijn. Misschien is dat iets anders, maar toch denk ik er de laatste tijd aan. Over hoe ik tegen haar was, dat ik haar nukken moest weerstaan en dat ik dat tegenover jou eigenlijk ook wel een beetje moet doen.

Eén ding weet ik zeker: ik ga niet dezelfde fouten maken als zij, ik ga me niet aan je opdringen. Wat ik ook deed, zij was er altijd bij. Toen ik zwanger van je was kwam ze telkens op bezoek. De dag dat ik was uitgerekend zat ze op de bank.

En de dag dat ik beviel zat ze er weer. Ze ging, maar een week later kwam ze weer. En ze bleef. Ik moest niet alleen voor jou zorgen, maar ook voor haar. Ik gaf je melk, ik maakte koffie, legde je in bed, plofte doodop in mijn stoel en daar zat ze dan, dan moesten we babbelen over onbelangrijke dingen. Ik had het wel uit willen schreeuwen: mens, ga wég! Hoepel eindelijk eens op!

Maar ik wilde geen ruzie, dat verdroeg ik niet. Eindelijk, eindelijk stond ze op. Haar handen hield ze op haar rok en met zo'n uitgestreken gezicht zei ze letterlijk: 'Ik geloof dat ik te veel ben, ik denk dat ik maar beter kan gaan.' Verschrikkelijk! Ik had haar dagenlang verzorgd en nóg was het niet goed. Ik rende haar achterna, maar ze schudde haar hoofd. Ik moest haar laten gaan. Toen ik weer binnen zat, radeloos, begon jij natuurlijk te huilen en kreeg ik je niet meer stil.

Die middag wist ik één ding zeker: ik ga het anders doen. Ik wil niet dat je ooit zo vurig zult wensen dat ik ophoepel. Ik zal ervoor zorgen dat ik al veel eerder vertrokken ben.

Daarom laat ik je verder met rust, maar dat doet wel een beetje pijn. Jou kan het waarschijnlijk niet schelen; jij hebt het leuk daar.

Ik weet dat het goed is dat kinderen zich losmaken van hun ouders. Maar soms is het of het de taak van een moeder is om pijn te hebben van haar kinderen. Dat begint al bij de geboorte.

Je kunt je natuurlijk losmaken op verschillende manieren en als het aan de moeder is om te lijden, dan zou een kind er misschien iets aan kunnen doen om dat lijden draaglijker te maken.

Ik snap dat er nu spannende tijden zijn aangebroken in je leven; dat die toneelschool belangrijk is, maar ik ben er ook nog. En juist als het goed met je gaat, als je de grote sier maakt op zo'n toneelschool, dan moet je aandacht hebben voor degenen die achterblijven. Ik zit hier thuis, jij hebt daar lol en het gaat goed en straks word je aangenomen en heb je ook geen tijd meer en zit ik hier te verkommeren. Denk je dan nog weleens aan me? Wat ik allemaal voor je gedaan heb, waardoor je gekomen bent waar je dan bent?

Nou goed, dit zijn zo maar losse gedachtes, dit had ik je willen zeggen als ik je nog even aan de telefoon had gehad, maar het was al laat, en jij moet fit zijn, dus liet ik je slapen. Maar weet je dat het soms moeilijk is? Dan wil ik je stem even horen, dan wil ik horen dat het goed is. Toen je als baby in mijn buik zat, wist ik voortdurend wat er met je aan de hand was. Je voelt het als het kind onrustig wordt, dan ga je zitten, je aait over je buik, je begint zachtjes te praten en dan wordt het rustig van binnen. Die levenslijn die je als moeder ooit gevoeld hebt, die blijft altijd bestaan. Maar de band wordt losser en dat maakt onzeker. Dat is het eigenlijk. Een klein geruststellend woord, weten dat de rust is teruggekeerd: dat is alles wat ik wil. Maar je bent er niet, je hebt het druk.

Ik zal je niet lastigvallen.

23

Knarsend, ineens vaart makend en dan weer remmend, alsof het de trein aan moed ontbrak, zette het voertuig zich in beweging. Ik was misselijk van de zenuwen op een van de bankjes geploft. Als ik er eenmaal was, zou het ergste voorbij zijn, en eenmaal binnen zou het allemaal vanzelf gaan.

Vanochtend om zeven uur was de wekker gegaan en mijn hele lichaam had geschreeuwd om met rust te worden gelaten. Draai-erig douchte ik, van de koffie trok mijn maag samen, een boter-ham kreeg ik amper weg. Ondertussen hoopte ik dat Arie op-stond, zodat ik niet alleen naar de trein hoefde te lopen en vooral dat ik straks op de toneelschool niet alleen tussen de vreemde mensen zou staan. Maar boven bleef het stil.

Opeens hoorde ik de zachte stem van Marcel in mijn hoofd. Hij zei: 'Ga toch gewoon, wat maakt het uit?'

En ik ging.

De treinreis verliep in een doffe waas en uiteindelijk liep ik de lange oprijlaan van de toneelschool op. Ik duwde de houten deuren open en kwam terecht in een lichte ruimte vol mensen. Een vrouw met een bos rode krullen kwam naar me toe, zei veel te hard dat ik welkom was, vroeg naar mijn naam, wilde me aftekenen op een lijst, gebruikte haar been als ondergrond. Het slappe papier kreukelde onder haar pen, ze moest even hinken om haar evenwicht te bewaren. Ze lachte erom, mijn gezicht bleef een strak masker en ik wist verder niet wat ik moest zeg-gen.

'Neem lekker koffie of thee of zoiets, zie maar,' zei ze en liep weg.

Ik stond daar in de ruimte, de tijd leek langzamer te gaan dan normaal. Overal om me heen stonden groepjes mensen luidruchtig met elkaar te praten. Een jongen op hoge blokhakken schalde door de ruimte heen over iets wat hij 'zó ontzettend gaaf' vond.

Toen ik de toneelschool had gebeld om me aan te melden, had het allemaal geweldig geleken. Maar nu was het ochtend, het was kil en rumoerig en ik stond tussen de spontane mensen.

Het zou een lange dag worden.

Als Arie was meegekomen, had ik tenminste naast iemand gestaan bij de koffietafel. Een lange vrouw met heldere blauwe ogen waar ze vast veel gevoel in kon leggen reikte naar de stapel kopjes die achter me stond. Snel deed ik een stap opzij.

Het duurde eindeloos, maar uiteindelijk ging de vrouw met de rode krullen in het midden van de ruimte staan, klapte in haar handen, terwijl ze de lijst onder haar arm verkreukelde.

'Dames en heren, wélkom!' zei ze. Ze begon tussen haar gekreukelde papieren te zoeken, terwijl ze vertelde dat ze Angelica heette en dat zij het aanspreekpunt was voor vandaag. Als er iets was, als iemand problemen had of wat dan ook, dan liep ze vast wel ergens rond en dan moesten we haar aanschieten. Ze wenste ons een goeie, maar vooral leuke selectiedag toe.

De jongen op de blokhakken kirde. Mensen schoten in de lach. waardoor hij nog harder begon te kirren. Angelica lachte ook.

Toen wees ze naar een bleke kale man, zo'n man die eruitziet of hij een kantoorbaan heeft. Bert Zevenman heette hij.

Bij het noemen van zijn naam reageerde hij niet door weg te duiken, maar ging rechtop staan, glimlachte en maakte een galante buiging. 'Ja, dat ben ik. Present, bedoel ik.' Hij had een warme stem en sprak alle woorden afzonderlijk uit.

Gelach.

Bert incasseerde de lach.

Angelica wachtte daar even op en toen, geschrokken, of ze zich opeens herinnerde wat ze stond te doen, begon ze namen op te noemen.

Na een paar namen klonk de mijne. Ik ging snel naar het groepje van Bert Zevenman.

Angelica ging door: 'En tot slot... Arie Veldhuis.' Ze keek rond. 'Die heb ik niet gezien.'

Ze bleef rondkijken. 'Kent iemand hem? Ik dacht...' Ze keek weer op de lijst.

'Ik,' zei ik en daarna harder, maar nog steeds niet erg hard, 'ik ken hem wel.'

'Ja,' zei Angelica. 'Jij! En was hij nog van plan te komen voor zover je weet?'

'We wonen in hetzelfde huis,' zei ik.

Gelach. Ook Angelica lachte.

'Maar komt hij?'

Ik bleef naar haar kijken alsof zij mij antwoord moest geven. Toen schudde ik snel mijn hoofd. 'Weet ik niet. Of... hij was het wel van plan, geloof ik, maar ja, Arie...'

Angelica zette de pen op het papier, tikte er een paar keer op en nam toen een besluit. 'Gaan jullie maar, ga maar lekker beginnen.'

Bert bracht ons naar een groot lokaal met aan één kant een spiegelwand. Het was er koud, er stonden lukraak stoelen in de ruimte, we moesten er een pakken en in een kring gaan zitten. Bert begon zichzelf voor te stellen, zodat wij wisten wat voor vlees we in de kuip hadden. Hij vertelde hoe hij als jongen opgroeide in de Pijp, dat hij altijd naar de toneelschool wilde omdat hij het zo'n prachtig gebouw vond, dat hij auditie deed en onmiddellijk werd aangenomen, hoe leuk zijn toneelschooltijd was, in welke stukken hij allemaal had gespeeld en met wie, en hoe hij gevraagd werd om alcoholist in een film te spelen. Af en toe onderbrak hij zijn verhaal om er zelf om te grinniken of om in de verte te kijken naar iets wat hij waarschijnlijk levendig voor zich zag. Zolang hij praatte hoefden wij niets te doen, maar uiteindelijk kwam het er toch van: we gingen een warming-up doen. We moesten onze lichamen opwarmen, inclusief ons gezicht. Voor mij was vooral dat laatste niet nodig, mijn gezicht gloeide al. Daarna moesten we ons in groepjes van vier voorstellen. Het was de bedoeling dat je je eerst presenteerde alsof je geweldig was, daarna zou er een tweede ronde volgen waarin we allemaal de grootste losers waren die er bestonden.

Het duurde eindeloos voor ik met mijn groepje aan de beurt was en omdat ik steeds zat te denken wat ik zelf moest zeggen en of ik het zelfverzekerd moest doen of juist achteloos, zag ik amper wat de anderen deden. Tegen de tijd dat wij aan de beurt waren, was ik behoorlijk afgekoeld en ik kwam ook nog als laatste aan de beurt. Nadat ik mezelf had voorgesteld of ik geweldig was, schudde Bert zijn hoofd. Ik was meer een loser met die bange ogen.

Iedereen lachte.

Dus of ik me in de loser-ronde wilde presenteren of ik geweldig was, want dat ik een loser kon spelen, geloofde hij wel.

Tijdens de volgende ronde kreeg ik een idee hoe ik het kon aanpakken. Na de derde loser was ik aan de beurt, ik liet mezelf los en ging. Ik zei dat ik absoluut de grootste loser was, veel groter en waardelozer dan de tweederangs mislukkelingen naast me en dat ik nog niet eens begónnen was met te laten zien hoe erg ik eraan toe was. Het kwam uit mijn tenen. Ik spuugde het eruit, vooral naar Bert, omdat ik hem zo'n eikel vond. De tijd leek te vertragen, ik koos de woorden die ik wilde, zag mensen lachen en ook Bert schaterde.

'Je bent een superieure loser,' zei hij na afloop. 'Je luistert niet naar mij. Héél goed!'

Op wolkjes liep ik weer terug naar de kant.

Handenwrijvend ging Bert weer voor ons staan. Hij hikte even van de lach om wat hij ons nu ging vragen, haalde adem, en blies die ongebruikt weer uit.

De deurklink bewoog. De deur ging op een kiertje open, viel met een klap weer dicht, zwaaide daarna onbeheerst open en de hond stoof naar binnen. Daarop schoof Arie in de deuropening. Hij kneep met zijn ogen, zei: 'Halloooo,' en hij zwaaide.

Bert keek over zijn schouder naar de deur, volgde met grote ogen de zwaaiende hand alsof hij gehypnotiseerd werd. Daarop golfde er vanuit zijn buik een hikje door zijn lichaam omhoog, die eindigde in een schallende lach. Hij draaide zich naar Arie toe. 'Zo,' zei hij. 'En wie ben jij?'

Arie dook een beetje in elkaar, bracht zijn handen naar zijn gezicht en grinnikte. De hond piepte.

Iedereen lachte, ik voelde een golf van misselijkheid opkomen.

Arie ging weer rechtop staan, het gelach verstomde en hij zei: 'Ik ben Arie en eh... hoe heet het? Hier zou het moeten zijn.'

Bert draaide zich weer naar ons toe en klapte in zijn handen. 'Kijk, dát noem ik "jezelf voorstellen". Hij zet iets neer, hij brengt een hele lading mee. Zagen jullie dat?' En weer tot Arie: 'Kom binnen, vriend.'

Giechelend doorkruiste Arie de zaal en ging naast me zitten. De hond stoof door de ruimte, ging bij Arie liggen en hijgde. Arie keek naar mij. 'Vriend,' mompelde hij. 'Hij zei vriend.'

Vanaf het moment dat Arie er was werden we gekoppeld. We werden aangesproken met 'jullie' en samen deden we de afsluitende improvisatieopdracht: een echtpaar waarvan de vrouw wilde scheiden terwijl de man van niets wist.

Arie liep naar het speelvlak, de hond rende blaffend de ruimte in, maar werd rustig toen Arie ingezakt op de stoel ging zitten. Arie grinnikte en zei: 'Jij bent de vrouw, dus jij moet het maar zeggen van de scheiding en zo.'

'Maar dat weet je niet,' zei ik boos. 'Hij zei net dat jij het niet wist.'

Iedereen lachte, de hond sloeg aan.

Na afloop zei Bert dat het helemaal niet gek was wat we deden. 'Jullie hebben een soort van absurde stijl, geinig.' Daarop keek hij naar de hond. 'En die hond is leuk, maar nu moeten jullie hem naar de portier brengen, want dat gaat op de lange duur niet werken.'

Ik wilde zeggen dat het mijn hond niet was, maar Arie stond al op.

'Doe ik wel even.'

Alle docenten die we die dag kregen, stelden zich eerst uitgebreid aan ons voor alsof dit het begin was van een lange relatie, terwijl dat maar net de vraag was. Alleen Chrisje was anders. Ze was een kleine, beweeglijke vrouw die ons ongeduldig naar binnen wenkte.

'We gaan een warming-up doen,' zei ze en huppelde naar het midden van de zaal.

Arie zei dat hij al warm was. Chrisje kon er niet om lachen, waardoor het gelach van anderen ook snel stopte.

'Maar het is wel zo,' fluisterde Arie in mijn oor.

Ik weerde hem af.

Chrisje stak haar armen de lucht in en riep dat we haar moesten nadoen.

Na de oefeningen moesten we snel aan de kant gaan zitten, want we gingen improviseren. Iemand moest een ongeduldige manager spelen en dan moesten anderen inspringen en mee improviseren.

'Wie begint?' vroeg Chrisje en ze klapte ongeduldig in haar handen.

Een rossige jongen liep naar het midden en begon druk te ijsberen, terwijl hij ondertussen steeds op zijn horloge tikte. Daarop sprongen er twee drukke managers op die door elkaar begonnen te praten. Ik kon zo snel niets bedenken om mee te doen, als ik het al gedurfd had. Inmiddels stonden er vier managers druk te overleggen met een schoonmaakster, die driftig met een denkbeeldige bezem in de weer was.

'Ze lijken te veel op elkaar,' fluisterde ik tegen Arie. 'Je kunt beter als slome werknemer opkomen, je zou juist niet fanatiek moeten zijn, maar moeten zeggen dat je je werk niet afkrijgt.'

'En dat dat ook niet gaat lukken en zo,' zei Arie. Hij grinnikte.

'En vragen of je iets eerder naar huis mag, omdat je nog boodschappen moet doen.'

Met een kreun stond Arie op en moeizaam liep hij de speelvloer op.

'Dat geknield zitten de hele tijd, daar krijg je dooie benen van,' zei hij. Daarna begon hij over het werk dat hij niet afkreeg.

Ik had te lang gewacht, had het zelf niet gedurfd en zo had ik het moment voorbij laten gaan. Kansen moet je grijpen, dat was precies wat Arie had gedaan, hij was er beter in dan ik. Daar kon ik toch niet boos om zijn? We vulden elkaar aan. Een volgende keer was ik aan de beurt, dan moest ik gewoon zelf opstaan, dat was het. Dit kon ik Arie niet verwijten. Maar ik voelde me akelig worden als ik naar die vlezige nek keek, naar de gebogen rug nu hij lollig stond te doen. Hij had geen moment geaarzeld. Misschien moest ik blij zijn, mijn idee was goed geweest, ik moest er de volgende keer alleen zelf de vruchten van plukken. Ondertussen barstte iedereen in lachen uit. Arie keek vrolijk in de rondte, een manager had zijn arm om hem heen geslagen en wilde hem naar de deur brengen. Het dikke meisje sprong op.

Chrisje zat te wippen op de vloer en riep naar de spelers: 'Ga dóór, ga nu dóór!'

Arie zat onderuitgezakt tegenover me in de trein, de grijns lag als een masker op zijn gezicht. Het was toch leuk dat we samen waren, vond hij. Daarna kwam de rimpel terug. Alleen dat van die monoloog, daar maakte hij zich nu wel zorgen over. Met zijn hoofd tegen de donkerrode treinbank keek hij me door zijn oogharen aan.

'Jij niet? Heb jij al een monoloog?'

Ik haalde mijn schouders op. 'In de brief stond dat het belangrijk was.'

'Ja, en jij hebt er al een! Welke heb jij?'

'Iets uit de bieb,' zei ik. 'Iets over schoenen of zo.'

'Zou je zelf iets mogen bedenken?' vroeg hij.

Ik haalde mijn schouders op.

'Ik heb geen toneelstuk,' zei hij.

Ik zei niets.

'Heb jij dat toneelstuk nog?'

'Teruggebracht, geloof ik,' zei ik en wees door het raam van de trein. 'Daar is de rivier al.'

'O ja.' Arie ging onderuit zitten, zijn onrustige ogen flitsten over het landschap buiten, de hond gromde en legde zijn kop op Aries rechtervoet.

We zwegen tot we thuis tegenover elkaar in de gang stonden. Arie bleef staan of hij nog iets wilde zeggen.

'Nou dag,' zei ik. 'Morgen verder, ik ben moe.' Snel ging ik mijn kamer in en sloot de deur.

'Dahag,' klonk er gedempt door de deur heen.

Ik plofte in mijn stoel, pakte mijn monoloog. De woorden dansten voor mijn ogen.

Later sloop ik de trap af en trok ik zachtjes de voordeur achter me dicht. Alleen in de donkere straat kon ik weer ademhalen. Als je het afmaakt, doe je niets verkeerd, daarin had Marcel gelijk. Nog maar één dagje, dan was het waarschijnlijk allemaal voorbij.

Het gekke was: ik wilde dat alles voorbij was, maar begreep ook dat mijn leven niet zo kon doorgaan. Ik liep naar de Chinees. Het afhaalrestaurant zat in een saaie winkelstraat, een laag flat-gebouw met daaronder een glazen pui met winkels. Alleen het rode Chinese dakje stak uit. Toen ik binnenliep bekroop me een benauwd gevoel, hetzelfde gevoel dat ik had als ik de postbode zag.

Achter de balie van wat vroeger een friettent was, stond een Surinaamse jongen tegen de balie geleund tv te kijken.

Ik bestelde tjaptjoi met nasi.

'Weet je het zeker?' vroeg hij en wees naar het bord met het maandmenu, daar zat ook tjaptjoi in en nog veel meer en het was nauwelijks duurder.

Ik koos het maandmenu.

Hij zuchtte en riep de bestelling door de deur naar achter. Dit was een Chinees zonder luikje. Alsof dit hem veel inspanning had gekost, liet hij zich weer tegen de balie vallen en keek tv.

Zonder opleiding kwam je hier terecht. Dus als ik de kans kreeg morgen, moest ik die grijpen. Waarom zou ik geen actrice worden als dat zou kunnen? Al het andere was erger.

Zondagochtend leek op de dag ervoor, alleen ging alles net iets makkelijker. Ik stond een uurtje later op en zette koffie. Het huis bleef stil. Op weg naar het station hoorde ik gehijg achter me.

Arie grijnsde. 'Je was al weg en eh... ik heb je ingehaald.'

We stapten samen in de trein en gingen achter elkaar de hou-ten klapdeuren van de toneelschool binnen. Bastiaan en andere mensen uit onze groep staken hun duim op en wenkten ons. Ook

Angelica lachte en probeerde ons op haar lijst af te tekenen, ze hield de lijst met een vlakke hand tegen de muur en prikte met de pen gaatjes in het papier, maakte scheurtjes en giechelde. We moesten maar niet op haar letten vandaag.

Ons groepje werd naar binnen geroepen. Er was een soort tribune gemaakt met vooraan zes docenten. Wij moesten achter hen gaan zitten en zouden een voor een naar voren worden geroepen. Als eerste wilde Bert een dik meisje uit onze groep 'uitnodigen' om de monoloog te doen. Het meisje zag er net zo zelfverzekerd uit als de dag ervoor. Energiek liep ze het speelvlak op. Ze deed een monoloog waarvan ik me niets kan herinneren, ik zag alleen dat ze zelfverzekerd was. Ze zou zeker door deze ronde komen. Dat ik er niets aan vond, kwam vast omdat ik jaloers was.

'Dank je wel,' zei Bert en richtte zich tot de volgende, Erik, een jongen met rood haar.

Erik droeg een klassieke monoloog voor in het Oudhollands.

'Gewaagde keuze,' vond Bert.

Toen klonk mijn naam. Verward stond ik op. Was het nu een slecht teken om zo aan het begin te zitten of betekende het juist dat ze niet konden wachten? Of had het niets te betekenen?

Ik begon: 'Ik kan geen schoen dragen die niet bij me past. Dat is het ergste wat er bestaat...' De hele monoloog ging over schoenen. 'Kijkt u maar, deze zijn op. Ik heb er niets meer aan.' Dat het over zoiets simpels ging, was goed, maar de monoloog duurde te lang. Ik zag het dikke, zelfverzekerde meisje verveeld uit het raam kijken. 'Sodemieter op, zegt hij tegen mij.' Ik zei het te fel en wist dat ik de zin ervoor over de voorraad schoenen had overgeslagen. Ik haperde, maar ging door. 'Nou, luistert u eens even.'

Ook Bert keek langs me heen. Na afloop vroeg hij of ik het nog een keer wilde doen. De schop die ik tegen de deur gaf voelde ik nog lang natintelen. Het was stil toen ik weer ging zitten.

Daarna werd Arie naar voren geroepen. Hij ging voor de groep staan en grinnikte. Opeens dacht ik: hij heeft geen monoloog! Hij gaat daar staan en wacht tot het voorbij is. Waarschijnlijk dacht iedereen hetzelfde, er werd zenuwachtig gelachen en iedereen bleef gespannen kijken.

Arie grinnikte nog een keer, tilde zijn hand op en bracht hem naar zijn kontzak. Die was leeg.

Gelach.

Nu tilde hij zijn andere hand op en bracht hem naar zijn andere zak. Hij trok een verkreukeld papier tevoorschijn, vouwde het open, bracht zijn hand naar zijn mond en giechelde, terwijl hij nog een keer naar de tribune keek.

Gelach.

Nadat het gelach verstomd was, begon hij te lezen.

'Ik kan geen schoen dragen die niet bij me past. Dat is het ergste wat er bestaat...'

We zaten tegenover elkaar in de trein. Het was al donker geworden, maar Arie bleef gekwetst door het raam naar buiten kijken. Zijn laatste woorden hingen nog in de lege coupé.

'Ik begrijp jou niet, hoe kun je nu boos zijn?'

Ik begreep het zelf ook niet.

De rest van de reis zeiden we niets tegen elkaar. Hij liep voor me uit naar huis. Toen ik onze straat insloeg, zag ik hoe hij de deur achter zich dichtgooide.

Thuis belde ik mijn moeder.

'Mama, het is heel gek wat er gebeurd is,' zei ik. 'Ik ben door.'

'O,' zei mijn moeder. 'Fijn voor je.'

'Arie ook,' zei ik.

'Wel zo gezellig, lijkt me,' zei mijn moeder.

'Ik weet het niet,' zei ik. Ik vertelde over de monoloog en hoe hij voor de tribune had gestaan en mijn tekst was gaan voorlezen.

Achteraf zei hij dat hij hem tussen de oude kranten had gevonden. Ik kon me dat niet voorstellen: ik had al mijn kladjes in mijn prullenmand op mijn kamer gegooid, maar hij hield bij hoog en bij laag vol dat hij hem daar gevonden had en wat je tussen de oude kranten vond, mocht je houden. Hij had niets anders en wat maakte het uit, monologen waren geschreven voor iedereen, het was mijn eigendom niet, als ik hem nu zelf had geschreven, ja dan... Maar dit was best een bekende monoloog, wie kende Pinter niet? En verder was het goed uitgepakt, hij begreep werkelijk niet waar ik boos over kon zijn. Ze hadden het prachtig gevonden, ons optreden had consequent een extra laag gehad en dat intrigeerde. Dat was al begonnen bij onze motivatie om naar de toneelschool te gaan. Ik had een uitgebreide motivatie geschreven, Arie had alleen maar geschreven dat hij wilde omdat ik ook ging. Spannend, vonden de docenten. Ze waren heel benieuwd naar ons geweest. Ons optreden had hen niet teleurgesteld. We moesten nu wel aan onze individuele kracht gaan werken, maar het was zonder meer een vondst. Mijn loser was geweldig geweest, maar op andere momenten was ik kleurloos en mijn monoloog was niet al te best. Als je hem zelfstandig beoordeelde in ieder geval, los van wat Arie had gedaan. Ik voelde me beroerd, maar we waren door. Waarschijnlijk omdat we samen waren.

'Ik weet het niet, mama,' zei ik.

'Ik ook niet,' zei ze.

'Wat moet ik doen?' vroeg ik.

'Ik denk dat ik niet degene ben die jou moet zeggen wat je moet doen. Ik denk dat ik de laatste ben. Ik denk dat je dat zelf beter weet. Het is vreemd dat je mij er nu naar vraagt.'

'Hoezo?' vroeg ik. 'Is er iets?'

'Nee, niets,' zei ze, 'en nogmaals gefeliciteerd. Heel fijn voor je.'

Ze hing op.

24

Zeg Lotte,   23 maart

Eerst bel je niet en dan hang je om de haverklap aan de telefoon. Als ik niet weet hoe ik daarmee moet omgaan, dan moet je me dat maar niet kwalijk nemen. De vorige keer ging het niet goed en moest ik je troosten en nu ben je ineens door naar de volgende ronde en moet ik weer blij zijn. Je banjert over me heen en daar krijg ik toch wel een beetje moeite mee. Want natuurlijk ben je mijn kind en dat blijf je. Maar je bent ook volwassen aan het worden. Het lijkt me dat je je als zodanig zou kunnen gedragen.

Natuurlijk ben ik blij voor je dat je door bent. En ik weet ook dat het zo gaat: je ziet ertegen op, je moet moed verzamelen. Maar dat kan op verschillende manieren. Zoals jij dat doet... ik vind het lastig om te zeggen maar kan het niet zonder dat het mij pijn doet?

Ik heb ervan wakker gelegen, weet je dat? Vast niet. Onze telefoongesprekken laten me niet makkelijk los, maar ook dat zul je niet weten.

Natuurlijk ben ik blij dat het goed met je gaat, moeders offeren zich op, maar niet ten koste van alles. Soms komt er een moment dat ook een moeder voor zichzelf moet opkomen. En dat moment is nu aangebroken. Als het op deze manier moet, heeft het leven voor mij eerlijk gezegd niet zo veel zin.

Voor veel kan ik begrip opbrengen, maar het zou goed zijn

als jij mij ook zou proberen te begrijpen. Ik heb de hele nacht niet geslapen, telkens kwamen jouw woorden weer boven, je stem en hoe die soms kan zijn; afgemeten en afstandelijk. En dan weer scherp, of je in de aanval gaat... 's Nachts lijkt alles erger, dan kunnen dingen uitgroeien tot iets schrikbarends en onoverkomelijks en lijkt alles een nachtmerrie. Overdag zie je het weer wat meer in perspectief. Maar in dit geval gebeurde dat niet. Ook nu neemt mijn getob niet af. Zo kun je niet met mensen omgaan. Ik ben geen stuiterbal die je naar believen tegen de muur kunt werpen en dan kijken of hij terugkomt. Het idee dat er met me gespeeld wordt is onverdraaglijk. Ik ben nog liever een wegwerpartikel, want dan word je op een gegeven moment met rust gelaten.

Het is fijn dat je door bent en dat je blijkbaar talent hebt, maar dan mag je best even aan mij denken, in plaats van dat je weer over je zorgen gaat vertellen en begint te klagen over Arie. Misschien kun je ook even aandacht voor mij hebben als je zo'n meevaller hebt. Soms lijkt het wel of alles wat ik zeg verkeerd wordt uitgelegd. Je doet soms of ik je niet wíl begrijpen en dan leg je het nogmaals uit, maar soms heb ik iets al begrepen. Dan probeer ik je alleen gerust te stellen en zie ik het misschien wat minder zwaar in. Dat is goed bedoeld en vaak niet eens onterecht.

En dat je dan herhaalt wat je al gezegd hebt... daarmee duw je me de grond in, weet je dat? Je kunt mij toch niet kwalijk nemen dat de dingen lopen zoals ze lopen? Het is jouw leven. Ik heb de wereld niet gemaakt, integendeel, ik ben er waarschijnlijk nog minder tegen opgewassen dan jij. Als ik papa niet had, had ik het niet geweten. Jij redt je wel, zei ik. Dat betekent dat ik vertrouwen in je heb, maar ook dat was geen goed antwoord. Wat moest ik dan zeggen? Geef maar op? Stop maar, het is hopeloos?

Als het zo werkt was ik ook al gestopt, hoor.

En verder: maak jij je weleens zorgen over mij? Of ik het wel red? Heb je mij ooit gevraagd of ik de wereld aankan? Of ik de juiste mensen om me heen heb? De relatie tussen moeder en dochter is eenzijdig, de moeder moet geven, de dochter neemt. Maar zo eenzijdig als de onze hoeft zij niet te zijn. Ergens is er een grens en die is nu bereikt. Misschien moeten we het maar eens echt uitpraten, want op deze manier houd ik het niet langer uit.

25

Was ik in de schaduw van Arie per ongeluk meegeglipt? Hadden ze even niet goed opgelet en was ik daarom door? Ik ontwaakte uit een onrustige slaap met een hoofd vol gedachten en vragen. Over de uitkomst werd niet gediscussieerd, hadden ze gezegd. Dat gold voor degenen die waren afgewezen, maar vast ook voor degenen die door waren. De hele week vroeg ik me af of het beoordelingsproces eerlijk was geweest, hoe kun je denken dat je objectief kunt zijn? Ik wilde bellen naar de toneelschool, maar waarom? Om hen te overtuigen dat het een vergissing was? Ik was zo ongedurig dat ik mijn jas aantrok en naar buiten ging. Hoewel ik het eigenlijk niet durfde, deed ik het toch, met bonzend hart: ik liep naar het huis van Marcel. Ik kon het nog vinden. De eerste keer liep ik langs. Ik keerde me om en liep weer langs. De derde keer bleef ik voor de deur staan en belde aan. De eerste bel klonk kort en schor, de tweede langer. Geen beweging in de gang, niemand deed open.

Ik ging weer naar huis, ik had het geprobeerd.

En zo ging de week voorbij.

We liepen de lange oprijlaan op, gingen de houten deuren door. Angelica fronste toen ze de hond zag, maar Arie merkte het niet.

De ochtend begonnen we met dialogen die we uit ons hoofd hadden moeten leren. Ik speelde met Bastiaan en werd afgeleid door Arie die aan de kant zat te kletsen. Na afloop zei de docent, een kleine vrouw die eigenlijk te oud was voor een actrice: 'Het is of je alleen vragen stelt, je klinkt altijd smekend. Je kunt ook eens iets anders proberen.'

'Ja,' zei Arie. 'Dat klopt wel inderdaad.'

Ik probeerde niet op hem te letten en vroeg: 'Zal ik het nog een keer proberen?'

Het klonk smekend.

Ze schudde haar hoofd.

De les die daarop volgde, bestond uit een ononderbroken improvisatieoefening. Bij de zangles scheurde ik uit mijn maillot. En de laatste les was fysiek theater. We moesten elkaar afstoten en aantrekken en mochten daarbij niet praten. Ik stond tegenover een dikkig meisje dat begon te hijgen zodra ze zich bewoog. We duwden elkaar een beetje en ik dacht dat we mochten ophouden, toen de docent bij ons kwam staan, een kleine, mollige man waaraan je niet kon zien dat hij van fysiek theater zijn specialisme had gemaakt.

'Wat ís dit?' riep hij met overslaande stem. 'Wat zijn jullie aan het doen?' Iedereen draaide zich naar ons toe, hij wapperde met zijn handen. 'Doorgaan iedereen, alsjeblief!' En tegen ons: 'Jullie doen maar wat, het is futloos! Zonder inspiratie! Je mag best eerst even nadenken wat je wilt, hoor.' Hij had zich naar mij gekeerd. 'Wil je me weg hebben?' Hij gaf me een duw. 'Of wil je me knuffelen?' Hij trok me naar zich toe. 'Of ga je me de waarheid zeggen?' Hij greep me bij mijn bovenarmen en hield me met gestrekte armen vast. 'Denk na! Dat mag! Dat mag je ook laten zien. Ik zie geen vuur, geen passie, ik zie alleen maar angst, het lijkt wel of alles onderdrukt wordt, zo houd je het klein, verstik je het voor het is ontstaan, daar word ik heel erg ongeduldig van, weet je dat? Maak een plan en dóé iets. Probeer iets, laat het los en probeer iets anders, maar sta daar niet zo wezenloos te duwen. Het is jullie oefening, het is niet voor mij!' Dramatisch keerde hij zich van ons af en liep weg.

Zijn stem klonk lang in mijn hoofd na en drong al het andere geluid naar de achtergrond.

De volgende dag om kwart voor drie werd Arie afgewezen. Hoewel hij een grote gretigheid liet zien om op het toneel te staan, werd dit niet vertaald in ijver en motivatie en dat zou het ontwikkelen van vakmanschap in de weg staan. Dat hij nog niet één zin uit zijn dialoog kon reproduceren, was geen goed teken. En eigenlijk was ook de hond die hij bleef meenemen al een signaal geweest.

Ook ik werd afgewezen. Mijn spel bleef te klein, er was te weinig van alles, het was alsof ik er met mijn hoofd nooit helemaal bij was.

Op de terugreis zat Arie door het raam naar buiten te kijken. Hij aaide de hond, die met modderige poten naast hem op het bankje was gesprongen, en hij praatte tegen hem en tegen mij.

's Avonds klopte Arie op mijn deur en riep dat hij mijn moeder aan de telefoon had.

Ik hield me stil, ik wilde niemand spreken, ik wist echt niet wat ik nu tegen haar moest zeggen, wilde niet door haar getroost worden. Arie stopte met kloppen en bleef praten aan de telefoon. Ik ging in mijn voorkamer zitten, zodat ik het niet hoorde, en staarde naar buiten. Ik wist even niet hoe het verder moest.

26

De volgende ochtend leek het of het buiten niet meer licht werd, ik bleef zo veel mogelijk in mijn kamer. Ik wilde naar Marcel gaan, de hele ochtend en een deel van de middag dacht ik eraan, maar ik kon mezelf niet zover krijgen om naar buiten te gaan. Ik durfde niet, ik zou nu echt niet durven aanbellen. Bovendien zou hij er toch niet zijn, dus het had geen zin. En daarom bleef ik thuis en wachtte af.

Ik hoorde ze naar boven komen, eerst de slepende voetstappen van Arie, daarna Tilly, dat moest wel, Maaike kon het niet zijn. Ze bleven in de gang staan. Zijn bromstem resoneerde door mijn deur heen. Waarom stonden ze uitgerekend hier, ze hadden toch een eigen verdieping? Eindelijk zetten ze zich in beweging, maar ze gingen niet naar boven; het geluid verplaatste zich naar de keuken. Ik had water opgezet om thee te zetten en hoorde in de verte hoe de fluitketel langzaam op stoom kwam. Voor het geluid op volle sterkte was, doofde het. Daarna gebeurde er een tijdje niets.

Ik hoopte dat Arie niet kwam zeggen dat het water gekookt had en dat hij het gebruikt had, want dat wist ik wel. De wc werd doorgetrokken, het gepraat begon weer. Konden ze nu zelfs niet meer zonder elkaar naar het toilet? Langzaam schoof het geluid door de gang mijn kant op, het kwam voor mijn deur tot stilstand. Het leek wel of Arie zijn mond tegen de deur hield terwijl hij doorpraatte. Een vrouwenstem antwoordde, Tilly was het niet. Maaike ook niet. Daarop zwaaide de deur open.

'Halloooo. Je hebt bezoek hoor,' zei Arie.

Met haar hartelijkste gezicht kwam mijn moeder binnen. 'Ik was in de buurt en ik dacht: ik ga even langs, wat vervelend dat jullie niet door zijn. Toen ik het hoorde, had ik geen rust meer. Ik was echt een beetje van slag, maar jullie hadden er niet op gerekend, toch? De kans was maar klein dat je verder zou komen, dus heel erg is het niet toch? En jullie zijn met zijn tweeën, dat is fijn. Ik wilde je even zien en horen hoe het is, ik vind het vervelend voor je, dat wilde ik alleen komen zeggen.' Ze lachte en omhelsde me.

Arie sloot de deur achter zich, maar opende die gelijk weer. Hij hief zijn hand op, alsof hij in de klas zat en de beurt wilde. 'Het water, het kookte enne, ik heb het uitgezet.' Hij ging even voor zichzelf na of hij alles gezegd had en knikte. 'Maar het kookte dus.' Hij sloot de deur.

'Wat een verschrikkelijk aardige man,' zei mijn moeder. 'Zo op het eerste gezicht, voor zover je dat kunt zien, maar op mij komt hij heel aardig over. Dat mag ik toch wel zeggen?'

Ik haalde mijn schouders op.

'Hij is zo voorkomend en zo lief over jou en hij is attent en leuk. Wat grappig dat jullie in één huis wonen, zo is het toch? En het is jammer dat je bent afgewezen, maar dat jullie samen zijn, dat maakt het wat draaglijker, denk je niet? Dat lijkt mij tenminste, heb ik gelijk?'

'Ik weet niet,' zei ik en ging thee zetten.

Mijn moeder zat op het puntje van mijn stoel. 'Zat jij hier? Want anders ga ik daar zitten.' Ze wees naar de schommelstoel.

'Blijf nou maar zitten,' zei ik en zette de pot thee op de grond, bij het raam, zodat ze hem niet kon omschoppen.

'Het maakt me niet uit hoor,' zei ze en wilde al opstaan.

'Het is goed,' zei ik. 'Blijf maar zitten.'

'Ja,' zei ze. 'Want anders zeg je het wel, toch?' Ze ging iets steviger op het puntje van de stoel zitten.

'Blijf nou maar zitten,' zei ik.

'Ja,' zei ze. Ze schoof naar achteren, zonder de rugleuning te raken. 'Het is jammer, maar jullie gaan toch nieuwe plannen maken, of niet? En ik mag toch zeggen dat het knap is dat je zover bent gekomen? Dat is fijn, dat is toch een fijn idee? Ik mag toch zeggen dat het knap is?'

'Jaha,' zei ik.

Ze keek geschrokken op.

Ik wilde haar niet van streek maken, dus ik zei rustiger: 'Ja, we zijn ver gekomen.' Ik keek niet geërgerd, terwijl ik haar kopje aanreikte. Snel trok ik het weer terug, want ze schoot al naar voren om het van me over te nemen.

'Fijn, fijn,' zei ze.

'Het is jammer, want nu weet ik het niet meer, maar het was te verwachten,' zei ik.

Even was ik bang dat ze dat vervelend vond om te horen, maar ze glimlachte.

'Leuk dat je trots bent,' zei ik zachter.

'Ja... nou ja, trots...' Ze lachte. 'Je kunt natuurlijk nooit trots zijn op de prestaties van een ander, maar het is best knap van jullie tweeën, dat is het wel.' Ze nam een slok, waarbij ze haar hoofd naar haar kopje bracht, alsof ze het tegemoet moest komen.

Als signaal dat ze wilde gaan, schoof ze weer naar voren en ging op de rand van de stoel zitten. 'Ik zal papa de groeten doen, zal ik dat doen?'

Er werd geklopt en gelijk kwam Arie binnen. 'U bent er nog.' Hij keek grinnikend door het raam. 'Maar eh... ik ga vanavond koken, eet je mee?' En tegen mijn moeder: 'En u? Eet u mee?'

Mijn moeder legde verbaasd haar handen op haar knieën, en

met een hartelijke lach en een snik in haar stem zei ze dat ze dat aardig vond, heel erg aardig en of ik dat niet attent vond, dat ik maar bofte met zo'n huisgenoot, want dat het toch wel erg luxe was als iemand plotseling voor je kookte. Ze kneep zichzelf in haar knieën.

Arie keek van haar naar mij. 'Maar ehm... blijft ze eten of niet?'

'Nou, ik weet het niet,' zei mijn moeder en daarna tegen mij: 'Dan zit papa alleen, hij heeft niets te eten, want ik heb niets klaargezet, dus hij rekent erop, dat is het, o wat erg,' en weer tegen Arie: 'Als ik het eerder geweten had, had ik het leuk gevonden, ik weet zeker dat jij heel lekker kookt, ik had graag gewild, maar ja,' tegen mij: 'Dan zit papa...'

'Jammer,' zuchtte Arie, hij lachte lief naar mijn moeder. 'De volgende keer dan maar.'

'Dat zou ik leuk vinden,' zei mijn moeder. 'Dat moeten we een keer afspreken, want als ik niet met mijn man zit,' ze keek me aan, 'met papa,' en weer naar Arie, 'dan zou ik het heel leuk vinden. Dus we spreken het een keer af?'

'Dat is goed.' Arie giechelde.

'Goed,' zei mijn moeder. Ze zag er stralend uit, zo kende ik haar nauwelijks. 'Dat vind ik leuk.'

'Nou, dag dan,' zei Arie en voor hij de deur achter zich dichttrok, zei hij: 'Ik doe de deur goed dicht.'

Mijn moeder was snel na Arie vertrokken en Arie was boodschappen gaan doen. Ik had geen ja en geen nee gezegd, het was erbij ingeschoten. Maar misschien was het beter als we weer samen aten, dat scheelde toch geld en het zou de sfeer in huis verbeteren, zeker als Tilly ook meeat. Voorlopig zat ik aan dit huis vast, dat was me wel duidelijk, dus moest ik het leven hier leuk maken.

Komende week moest ik mijn afwijzing naar de sociale dienst doorsturen, en dan moest ik ook maar eens nadenken hoe verder.

Ik moest nog eens met Marcel afspreken, misschien had hij wel goeie ideeën.

's Avonds aten we met zijn drieën in de keuken. Arie serveerde enorme entrecotes. Als Tilly vlees lustte, kon ze dat krijgen.

'Deze is wel erg enorm,' zei Tilly. 'Als ik niet beter zou weten, zou ik vragen: kun je dat betalen, Arie? Maar ja...'

'We betalen gezamenlijk,' zei ik.

Tilly nam een hap, keek naar het vlees en niet naar mij. 'Dacht het niet.'

Ik legde mijn mes neer.

'Dit vlees is gratis, hij heeft het gejat.' Tilly keek op. 'Toch, Arie?'

Arie zat over zijn bord heen gebogen. 'Ja, nee, ik trakteer,' mompelde hij.

Tilly keek triomfantelijk. 'Kijk!'

'Jat jij eten?' vroeg ik.

Arie keek geconcentreerd naar zijn bord, prikte een stuk vlees aan zijn vork. 'Nou ja, niet echt.'

Tilly maakte een raar geluid, iets als 'Kngg'.

'Het is meer...' zei hij en keek van onder zijn haar naar Tilly. 'Niet echt jatten of zo, soms misschien.'

'Je doet dure boodschappen, jat je dat? Wat heb je allemaal gejat?'

'Soms en niet alles, deels vooral, dit, het meeste heb ik betaald.'

'Knggg,' deed Tilly weer.

Hij ging rechtop zitten, hij was rood geworden. 'En dan nog! Ik loop het risico!' Hij schreeuwde bijna.

'Hm,' zei Tilly. 'Mag je zelf weten.'

'Maar eh...' zei ik. 'Je laat mij betalen...'

'En nu eten!' riep Arie. Woest keek hij naar de tafel of hij hem ieder moment om kon gooien.

'O ja? Ik mag anders praten wanneer ik dat wil,' riep Tilly op hoge toon.

'Als je mijn vlees eet, mag je helemaal niet praten!' brulde Arie terug.

'Moet je dit zien,' riep Tilly, ze nam een hap en met volle mond zei ze: 'Ik eet je vlees.' Ze kauwde demonstratief. 'En ik praat. Dat mag ik helemaal zelf weten. Als het je niet bevalt, sta je zo buiten.'

Allebei zagen ze rood. Arie had zijn kaken op elkaar geklemd, Tilly trok als een roofdier een stuk entrecote van haar vork en kauwde, terwijl ze Arie bleef aankijken.

Ik ging verzitten, mijn stoel kraste over de vloer, met een ruk keken ze naar mij.

Ik zei niets.

27

Woensdagavond was theateravond in Oblomov, Gerjanne deed de kassa, ik de garderobe. Ze had me gebeld want de ingeroosterde vrijwilligers hadden het laten afweten en daarom hadden ze invallers nodig. Wij waren allebei vrijwilligers, maar we hadden al lang niets meer gedaan. Ik zei dat ik niet goed wist of ik vanavond in staat was om te werken, omdat ik niet goed in mijn vel zat. Daarna had ik haar verteld wat er allemaal gebeurd was. Ze onderbrak me, zei dat ik moest stoppen met piekeren en dat ik gewoon moest komen werken, omdat we anders uit het vrijwilligersbestand geschrapt werden. Dan kon ik niet meer gratis naar Oblomov en dan had ik helemaal niets meer. Bovendien zou het me goed doen om er even uit te zijn en ik verdiende er ook nog consumptiebonnen mee.

Ze had natuurlijk gelijk: ik ging voorlopig toch niets anders doen, ik moest verder met mijn leven. Van alleen op mijn kamer zitten werd ik alleen maar somberder.

'Misschien kunnen we het als werkervaring opgeven,' zei Gerjanne. 'Het is toch werk. Zo ziet werk eruit volgens mij, meer is het niet.' Ze zat kaarsrecht op haar kruk achter de hoge tafel met voor zich het geldkistje. Haar haar stond overeind, maar omdat het lang was, waaierde het uit als een zwarte varenplant.

Ik stond naast haar en leunde tegen de muur.

Theatervoorstellingen werden nooit druk bezocht.

'Goed idee,' zei ik. 'Gek dat we dat niet eerder hebben gedaan.'

Gerjanne trommelde op het geldkistje. 'Ja, gek. We doen werkervaring op en we hebben het niet eens in de gaten.'

Ik lachte een beetje. 'En het valt best mee, werken,' zei ik. 'Wat speelt er eigenlijk?'

'Geen idee,' zei Gerjanne. 'Maar jij zou het moeten weten, jij wilde toch naar de toneelschool?'

Ik schudde geschrokken mijn hoofd, probeerde haar vraag weg te denken. 'Ik weet het niet,' zei ik.

'Wat wilde je daar eigenlijk?' ging ze door.

Ik haalde mijn schouders op. Ik kon haar toch moeilijk vertellen over Cultuurgoed, dat die mensen altijd samen waren en dat ze meer waren dan vrienden en je hoefde daar niet eens je best voor te doen, want ze moesten wel, omdat je anders niet kon spelen en dat het me gewoon geweldig leek, behalve als het regende en koud was.

De selecties waren streng, legde ik uit. Want iedereen wilde naar de toneelschool. En zo veel acteurs kunnen ze helemaal niet gebruiken, zeker niet als ze middelmatig zijn.

Gerjanne keek naar buiten en mompelde: 'Nou goed, jou gaat het dus in ieder geval niet lukken.' Ze pakte het krantje, maar kon de voorstelling niet vinden.

Nog steeds waren er geen bezoekers. Als er echt niemand zou komen waren we al bijna klaar met werken, en de bonnen mochten we houden. Maar op dat moment kwamen er natuurlijk toch twee theaterbezoeksters binnen. Babbelend liepen ze tot aan de kassa, ze vroegen om twee kaartjes, giechelend zochten ze in hun tasjes naar hun portemonnee en na veel gedoe legden ze geld op de tafel.

Met een uitgestreken gezicht gaf Gerjanne hun wisselgeld, pakte de stempel en drukte die lukraak op hun handen. Ze keken er verbaasd naar.

'Wat een vies ding,' zei de een.

'Weet je waar het op lijkt?' vroeg de ander.

Kwebbelend liepen ze verder.

'Maar was het verder wel leuk op die school of was het alleen maar erg?' vroeg Gerjanne. 'Weet je wat je verder gaat doen?'

Ik haalde mijn schouders op. 'Nog niet, geen idee,' zei ik. 'Het was er eng, er waren vervelende mensen, maar het verschrikkelijkste was Arie.'

Gerjanne zuchtte.

'Hoe kom ik van hem af?'

Gerjanne scheurde een van haar bonnen af en schoof die naar me toe. 'Doe maar een biertje.' Ze klonk kortaf.

Ook in het café was het rustig. Evert zat achter de bar een tijdschrift te lezen. Pedro lag op een bankje te slapen. Die kwam alleen naar de bar toe om een kop thee van een kwartje te bestellen, die hij met een dubbeltje probeerde te betalen. Maar bij Evert zou hem dat niet lukken. Evert tapte twee biertjes.

Ik nam ze mee de gang in, liep langs de zaal en sloeg de hoek naar de kassa om.

Van schrik morste ik bier op mijn mouw.

Zijn zwarte silhouet stak af tegen het licht van buiten, zijn warrige haardos piekte. Hij leek gedrongen in die grote gang.

In slow motion liep ik naar de tafel, zette de biertjes naast het geldkistje. Gerjanne keek naar het tientje dat hij op de tafel had gelegd. Haar hand bungelde in de lucht als een helikopter boven een ongeluk, op zoek naar een plek om te landen. Ik schoof het briefje terug.

'Laat hem maar doorlopen,' zei ik. Het klonk kattig.

'Je staat op de gastenlijst,' zei ze zonder hem aan te kijken en pakte de stempel.

'Hé, tof!' zei Arie.

Hij propte zijn tientje in zijn zak en legde zijn hand op de tafel. Gerjanne drukte de stempel erop en trok hem toen snel weg, alsof ze bang was dat ze vies van hem werd.

Arie liep verder, maar hij ging niet naar de zaal, hij sloeg de gang naar de garderobe in.

Even bleef ik staan, toen ging ik achter hem aan, wurmde me erlangs, glipte het hok in en ging achter het luik staan. Hij knoopte zijn jas open en onthulde tien vette vingers op zijn shirt. Hij keek trots: voor de gelegenheid had hij zijn goeie kleren aangetrokken. De mouwen van zijn jas bleven aan zijn shirt kleven. Springend, met meer bewegingen dan strikt noodzakelijk, ontdeed hij zich van zijn jas.

Hij legde hem op de balie en diepte geld uit zijn zak op.

Ik wapperde het kwartje weg of het een lastige vlieg was.

De munt bevroor in de lucht, zijn grijns veranderde in een grimas. 'Nou moe.' Een kort moment fixeerden zijn donkere ogen zich op mij. Daarna draaide hij zich van me af en liep slingerend naar de zaal.

'Hij is schoner dan ik dacht.' Gerjanne zat rechtop op haar kruk en keek naar de muur, waar niets te zien was. 'Zijn haar vooral, dat verwacht je niet.'

'Hij doucht,' zei ik.

Met een doffe klap sloten de zaaldeuren. Gerjanne sprong van haar kruk, ze ging het geldkistje in het café afgeven, ik liep naar de garderobe om op de jas te passen.

Aries jas was een legergroen gewatteerd geval, met een kraag die aan de binnenkant donker kleurde. De mouwen bogen van de jas af, alsof het de armen van een bodybuilder waren, maar verder hing het ding machteloos te bungelen.

Even later verscheen Gerjanne in het luik. 'Zo,' zei ze. 'Bier.'

Ze had wat tijdschriften en kranten uit het café meegenomen. Hangend in het luik begon ze die door te bladeren. Ik pakte een paar tijdschriften en las over een man die het record sigarettenroken had verbroken en die nu aan longkanker leed. Daarna las ik over een beroemde racebaan en de ongelukken die er gebeurd waren. Het was stil in de gang, alleen af en toe hoorden we een kreet of gelach uit de zaal en uiteindelijk een mager applaus. De zaaldeuren gingen open, geschuifel en gepraat in de gang en toen werd het stil. Aries jas hing er nog steeds. Onze pagina's ritselden.

Gerjanne sloeg haar tijdschrift dicht en keek op haar horloge. Ze stond op.

'Belachelijk,' zei ze. Ze sloeg rinkelend tegen de metalen knaapjes en knikte naar de jas van Arie. 'Alsof iemand dat ding zou jatten. We kunnen wel eindeloos wachten tot hij naar huis gaat.'

'Misschien is hij al weg,' zeg ik. 'Dat hij zijn jas vergeet, is typisch Arie, dat bedoel ik nou.'

Maar Arie was niets vergeten, hij zat op een kruk aan de bar en keek voor zich uit.

Evert zat nog altijd een tijdschrift te lezen, Pedro lag te slapen op een bankje achter in het café. Arie draaide zich naar ons toe.

'Hé!' zei hij verrast. 'Waar is mijn jas?'

'Je jas?' Gerjannes stem schoot omhoog.

'Ja,' zei Arie. 'Een groene jas, met een capuchon.' Met zijn hand duidde hij aan waar de capuchon ongeveer zat als hij de jas droeg.

'Waarom kwam je hem niet ophalen?' Gerjannes stem klonk hard in het stille café.

Arie kromp ineen en maakte een afwerend gebaar.

'Waarom nam je je jas eigenlijk niet mee de zaal in?' zei ze nog harder. 'Dat doet iedereen.'

Evert had het tijdschrift op zijn schoot gelegd en keek van Gerjanne naar Arie.

'Ik weet niet,' zei Arie. 'Ik weet niet hoe de service is en hoe het ermee zit en hoelang het doorgaat, maar mijn jas, daar hoe je echt niet op te passen.' Hij nam een slok cola.

Gerjanne wachtte, maar er kwam niets meer. 'Wij zaten daar te wachten,' zei ze hard. 'Je wíst dat we daar zaten!'

Arie stond op en ging een kruk verder zitten en ook Pedro begon te bewegen. Hij hief zijn hoofd op en keek naar de plek waar het rumoer vandaan kwam.

Evert was van zijn kruk afgegleden en kwam naar ons toe. Hij legde zijn hand op Gerjannes schouder, die met een ruk een stap naar achteren deed.

'Gerjanne...' zei Evert. Hij keek ook naar mij en legde zijn hand op haar arm. 'Luister eens.'

Gerjanne rukte zich los.

Evert was een kleine man, maar hij had best brede schouders onder zijn witte T-shirt. Hij legde zijn hand weer op haar arm.

Opeens draaide Gerjanne zich om en beende naar de deur. Ik ging erachteraan. De deur klapte achter ons dicht.

'Onvoorstelbaar!' riep Gerjanne. 'Geloof jij dit? Dit gebeurt toch niet?'

We stonden voor de deur terwijl Gerjanne woedend de straat inkeek.

Achter ons klonk door de deur de verongelijkte stem van Pedro.

Er klonk geschuif van stoelen, de deur ging open en Pedro kwam naar buiten, hij rook naar oude vuilniszakken. Bij de deur draaide hij zich om en keek over Gerjannes schouder naar de deur.

Gerjanne deed een stap opzij.

'Twee uur staat hier, er staat twee uur,' riep hij. 'En het is nog geen eens twaalf uur.'

Wij reageerden niet, maar hielden onze adem in, Gerjanne keek de andere kant op. Eindelijk liep hij weg.

Ik hapte als eerste naar lucht, het rook nog steeds naar vuilnis.

Toen haalde ook Gerjanne adem. Ze begon te lopen. Achter elkaar staken we de straat over en sloegen een stille straat in. Met een paar passen liep ik naast haar. We zwegen. En daarom hoorden we de zachte voetstappen achter ons. Met een ruk draaide Gerjanne zich om.

'Hé, hoi.'

Ze deed een sprongetje en nam een vechthouding aan.

Arie maakte een zwakke afweerbeweging, alsof zijn armen er eigenlijk te zwaar voor waren.

'Wat moet je!' riep ze.

'Ik ga naar huis.' Zijn stem klonk een halve octaaf hoger. 'Ik mag toch wel naar huis of niet soms?'

Gerjanne vloekte binnensmonds. Daarna, zonder me aan te kijken, draaide ze de andere kant op.

'Zie je!' zei ze tegen mij en met een vinnige tik liep ze Arie van de stoep af.

Die herstelde met een sprongetje zijn evenwicht en keek haar na.

Ze stak de straat over en sloeg links af. Ze ging via de bananenbar naar huis. Dat zou voor mij een grote omweg zijn en ik zou in mijn eentje via het kanaal naar huis moeten lopen. Besluiteloos keek ik haar na. Tot Arie zich omdraaide, zijn afhangende schouders ophaalde en me slingerend voorbijliep.

'Kom,' zei hij.

Ik ging toch echt niet alleen langs het kanaal, er zat niets anders op dan de groengewatteerde rug te volgen naar huis.

In bed zakte ik snel weg. Ik liep door een bos met allemaal varenplanten die zachtjes murmelden. Het pad werd smaller en onduidelijker, tot ik me een weg baande tussen de varenplanten door. 'Je doet het fout. Je doet het helemaal fout,' murmelden ze. Opeens stond Gerjanne voor me, met haar afstandelijke blik. Ze zou niet meegaan, ze ging naar de bananenbar. 'En jij dacht met toneel...' zei ze. Ze liep weg, maar opeens klonk achter me haar harde stem. 'JE DOET HET FOUT!'

Ik opende mijn ogen. Het galmde nog na in mijn hoofd, mijn hart ging woest tekeer, het was te warm in bed. Ik probeerde stil te liggen en aan leuke dingen te denken, maar mijn benen jeukten diep van binnen. Ik dacht aan het toneelstuk en aan de paar bezoekers die er geweest waren. Dat ik dat nooit zou willen, ook al was ik door geweest, dat ik van geluk mocht spreken. En toen dacht ik aan de Chinees, aan de postbode en aan Bruggers en hoe het zou zijn om daar in een drieploegendienst lampen te controleren.

Vanaf het moment dat Gerjanne de deur opende en haar wenkbrauw optrok, wist ik dat ik niet bij haar langs had moeten gaan. Ze ging naar haar kamer en plofte op de bank. Ik ging naast haar zitten. Zij keek naar de zwarte muur tegenover zich en zei niets.

Ik begon te vertellen dat ik er niets aan kon doen, dat ik zelf niet wist hoe ik van hem los kon komen, omdat ik nu officieel samenwoonde. Dat ik nog wel even aan hem vastzat, maar dat dat niets hoefde te veranderen.

Krakend wurmde Gerjanne zich uit de bank. 'Thee?' vroeg ze en liep naar de keuken.

En ik wist dat ik zo snel mogelijk onopvallend moest verdwijnen.

Ze gaf me een mok hete thee en zette een maxisingle van Throbbing Gristle op.

'Ga je nog iets leuks doen vandaag?' vroeg ze.

Ik haalde mijn schouders op. 'Jij?'

De thee was heet. Elk slokje liet ik eerst in mijn mond ronddansen voor ik het wegslikte. De mok was groot, er kwam geen eind aan.

Gerjanne wurmde zich uit de bank en zette de muziek harder. Een eentonige dreun plantte zich door de vloer en vulde de kamer, er kwamen valse gitaren bij en een vervormde stem.

Uiteindelijk zette ik mijn mok op de grond en stond op van de bank. Ik zwaaide.

Gerjanne hief haar hand in de lucht en bleef zitten.

28

Goed van papa dat hij je even belde. Ik had je zelf wel willen spreken, maar ik dacht dat hij het misschien beter kon vragen. Ik weet niet of ik het zo goed kan overbrengen, ik heb al van alles geprobeerd, maar het lukt me niet om tot je door te dringen.

Papa vertelde achteraf dat hij vond dat het niet zo goed met je ging. Ik begrijp natuurlijk dat het slikken is, zo'n afwijzing, maar het hoort er toch ook wel een beetje bij. Je wist dat de kans klein was dat je erdoor zou komen. Het leven zit niet altijd mee, er zijn zo veel mensen die niet krijgen wat ze graag zouden willen, daarin ben jij echt niet uniek. Ik weet zelf wat het is, ik raakte Gerard kwijt. Daar zal ik je verder niet mee lastigvallen, maar ik zat er wel mee. Tegen papa kon ik er niets over zeggen, hij vond het alleen maar leuk voor Gerard dat hij een relatie kreeg. Maar dat ik hem daardoor minder zag, dat onze band veranderde, dat interesseerde hem volgens mij niet zo. Maar dat doet er allemaal niet toe. Papa meent het goed en hij helpt me met van alles. Hij vroeg je hoe je het vond dat ik was langsgekomen, hoe het bezoek was geweest. Hij was er zelf ook wel benieuwd naar omdat ik er zo over twijfelde. Ik heb ervan wakker gelegen, ik wilde het er nog een keer met je over hebben, maar ik wist echt niet hoe. Daarom vroeg hij het. Wat vond je ervan dat mama langskwam? En jij zei: 'Aardig.'

Dat was het.

Ik kom langs, ik wilde je zien, ik trotseer alles, ik word behoorlijk koel ontvangen, ik lig er achteraf wakker van en jij kunt daar niets meer over zeggen dan: 'aardig'?

Mag ik eerlijk zijn? Ik vond het niet 'aardig', ik voelde me hoogst ongemakkelijk. Alleen Arie gaf me het gevoel welkom te zijn. En dan zit ik tegenover jou en het lijkt of mijn hele lichaam verkrampt. Ik heb mijn best gedaan. Als je iets dwarszit, dan moet je het zeggen, anders is het een ongelijke strijd. Als ik niet weet wat ik fout doe, dan wil ik daar niet naar hoeven raden. Dat heb ik vroeger gedaan, daar ben ik nu te oud voor. Maar tegen zwijgzaamheid kan ik echt niet op.

Papa zei trouwens dat er meer speelde en hij begon weer over het geld. Hij zei dat het toch wel zonde was van die uitkering en hij vroeg of het niet onredelijk was, omdat je niet echt met Arie samenwoont, dat Arie niet eens je vriendje is.

Ik heb geen idee of je samenwoont, ik heb niet de indruk dat je ons vertelt wie je vriendjes zijn, dus ik denk niet dat ik daarover kan oordelen. Ik weet alleen dat Arie een zacht-aardige en bijzondere jongen is. En dat ik het bijzonder prettig vond zoals hij zich tegen me opstelde, dat hij me te eten vroeg, iets wat jij niet aanbood. Ik voel me thuis bij hem, ik kan niet anders zeggen. En het zou goed zijn als jij ook wat beter naar je gevoel zou luisteren.

Papa nam dat van me aan, maar hij vond het toch zonde van het geld dat je maar een halve uitkering kreeg.

Ik weet niet wat je allemaal tegen papa hebt gezegd, maar ik snap het niet. Sinds wanneer doe jij de dingen officieel? Samenwonen, dat soort dingen gaat toch tussen neus en lippen bij jou? We krijgen het misschien wel als laatste te horen.

Papa vroeg of we je niet een beetje moeten ondersteunen.

We hadden nog geld apart staan voor je rijbewijs, misschien konden we je dat geven? Ik wist niet dat er iets apart stond, maar ik vond het onzin. Het is inderdaad niet de tijd om een rijbewijs te halen, maar dat betekent niet dat we alles moeten weggeven. Ik heb gezegd dat we het beter kunnen gebruiken voor het huis, voor je oude kamer, want die is nog steeds niet helemaal af. Dan investeren we in de toekomst en in feite ook in jou. Die kamer moet gewoon af, ik wil niet dat het geld in een bodemloze put verdwijnt. Uiteindelijk ging papa overstag. We knappen je kamer op, dan is het beter besteed. Daar heb jij ook plezier van als je het niet meer redt buiten.

Daarom wilde ik ook niet dat papa je ons oude servies geeft. Hij zei dat ze daar bij de sociale dienst over vielen, dat je geen eigen spullen had. Maar ik zou het zonde vinden als mijn klassieke servies in een studentenhuis zou verdwijnen. Als ik denk aan de berg afwas die op jullie aanrecht stond, dan zou ik geloven dat jullie meer dan genoeg servies hebben. Moet ik mijn servies dan weggeven, omdat ze bij de sociale dienst vinden dat je een eigen servies moet hebben?

Ik zei tegen papa dat het bovendien handig voor ons is om iets achter de hand te hebben voor als we zelf een feestje geven, we hebben plek zat op zolder. Maar dat doet er allemaal niet toe, daar gaat het niet om, het gaat erom dat ik even niet weet hoe het verder moet. Ik kom er echt niet uit. Ik weet alleen dat ik denk dat we een jongen als Arie in ons hart zouden kunnen sluiten. Ik heb hem een paar keer aan de telefoon gehad, ik heb hem ontmoet... Het is gek hoe snel iemand een vertrouwd gevoel kan opwekken. Ik vond hem aardig en hartelijk en hij heeft een hart van goud.

Mocht je een keer langskomen, dan hoop ik dat je hem meeneemt, dan kan papa hem leren kennen. Want anders blijft hij zo afstandelijk over hem praten, terwijl ik zeker weet dat ze elkaar goed zouden liggen. Dit heb ik ook tegen Arie gezegd. Dan weet je dat. Nou goed, dat hoor je wel van hem, dat weet ik zeker.

29

Bij Oblomov was het best druk. Er kwam een bandje uit Horst en omdat die jongens ook als bezoeker in het centrum kwamen, hadden ze hier veel vrienden.

Gerjanne stond bij de bar, Stomp stond ernaast. Ik liep naar haar toe, het zou raar zijn om ergens anders te gaan staan.

'Hé, hoi,' zei ik. 'Hoe gaat het?'

'Je mocht weg vandaag?' zei ze.

'Hoezo?' vroeg ik.

'Hebben jullie ruzie?' vroeg Stomp. En toen we hem geërgerd aankeken, deed hij een stap naar achteren. 'Nou ja, ik dacht dat ik zoiets hoorde van Bertje.'

'Bertje moet zijn kop houden,' zei Gerjanne.

Stomp knipperde met zijn ogen en zei dat hij even naar achteren ging, want hij kende de jongens uit Horst en die kregen vast gratis te drinken. Hij stuiterde weg.

Aan het uiteinde van de bar, bij de deur die uiteindelijk bij de kleedkamers uitkwam, stond Thomas, de uitsmijter. Hij was niet kaal en breed, maar zag er tamelijk relaxed uit. Hij hield Stomp tegen en schudde zijn hoofd, zonder een spoortje van twijfel op zijn gezicht. Sommige mensen weten heel goed wat ze willen en zonder dat ze zich zorgen maken over hoe het overkomt, zeggen ze dat. Dus kwam Stomp weer bij ons staan. Thomas lachte niet, keek niet boos, maar bleef volkomen neutraal kijken en ging weer aan de bar zitten.

Opeens stond Jeroen naast ons, hij legde zijn handen op onze rug, duwde ons een beetje naar elkaar toe. 'Is het weer goed, dames?' vroeg hij en liep door.

'Tjezus,' zei Gerjanne. Opeens deed ze een stap opzij. 'Zie je zo.' En weg was ze. De zaaldeuren sloten zich langzaam en zwaar achter haar.

Arie keek glazig naar de bar, het leek of hij er al heel lang stond, maar dat kon niet.

'Hé,' zei ik. 'Wat?'

Arie knikte. 'Hoooi!' Hij zwaaide.

Ik zwaaide terug, deed een stap opzij en glipte ook door de zaaldeuren weg.

De zaal begon vol te lopen. Het podium was nog donker en leeg. Aan de muziek te horen stond Pim achter de draaitafel, het klonk nogal experimenteel. Daarbovenuit hoorde je geroezemoes en gelach. En achter me hoorde ik Arie zijn neus ophalen.

Ik draaide me om, deed een driftige stap opzij, maar Arie hoefde er niet langs, hij keek met vochtige ogen de zaal in.

Ik schoof langs de bar en dook tussen de mensen. Ik keek om, ik werd niet gevolgd. Bij het podium stonden punkers, waarschijnlijk vriendjes uit Horst die er extremer uitzagen dan de punkers in de stad. Er stonden ook een paar dikke jongens met geruite overhemden. Naast het podium achter de boxen zag ik een pluim zwart haar bewegen. Gerjanne was in de buurt van de kleedkamers en stond waarschijnlijk met de band te praten. Ik moest niet onmiddellijk achter haar aan lopen, ik kon haar beter even met rust laten.

'Goed drumstel,' zei Arie in mijn oor.

Met een ruk draaide ik me om.

Hij knikte doezelig naar het podium, hij was vlak achter me komen staan, zijn mollige schouder duwde hij tegen me aan.

Ik sloot mijn ogen, de grond onder mijn voeten draaide, ik voelde me misselijk worden. Opeens wist ik het zeker: ik kwam nooit van hem af. Maar de misselijkheid zakte. Voorzichtig deed ik een stap opzij. 'Ga hier maar staan,' zei ik. 'Hier kun je het goed zien. Je wilt het toch zien?'

Arie knikte.

'Ik ga ergens anders heen, blijf jij maar hier staan. Ik wil dit niet meer.'

Hij deed verbaasd een stap naar voren, opende zijn mond, maar hij sloot hem weer.

'Dag,' zei ik. 'Ik ga. Blijf jij hier. Laat me alsjeblieft, ik wil dit niet meer, blijf uit mijn buurt.' Ik liep een paar passen achteruit, draaide me toen om en liep weg. Maar ik ging niet naar de bar, want als Arie dorst kreeg zou hij daar ook naartoe komen. Ik ging naar rechts, naar de donkere hoek achteraan waar niemand iets te zoeken had.

Eerst zag ik de grijns, toen lachte ik zelf ook.

'Hé,' zei ik.

'Hé,' zei Marcel.

Hij droeg een donkerblauw jasje en een zwarte broek. Door zijn grijns leek zijn mond nog groter. We stonden tegenover elkaar.

'Hallo,' zei ik.

Hij sloeg zijn arm om me heen en liet me weer los.

'Ik heb nog aan je gedacht,' zei ik. 'Ik ben nog langs geweest, ik heb aangebeld, maar er deed niemand open, ik wist niet of je er was, ik ben verder niet meer langsgekomen, maar ik heb er wel aan gedacht.'

Hij pakte me zachtjes bij mijn bovenarm en liet los. 'Ik was veel weg. Maar ik geef je mijn nummer, dan kunnen we bellen. Dan bel ik je. Of jij belt mij.'

Bij het podium klonk gejoel alsof de band opkwam, maar het bleef donker en Pim zette een nieuwe plaat op.

'Ik was door,' zei ik toen. 'Het lukte, maar daarna ben ik afgewezen.'

Hij aaide me over mijn rug. 'Wat ga je nu doen?' vroeg hij. Hij liet zijn arm weer bungelen.

'Ik weet het niet,' zei ik en ging iets dichter bij hem staan.

'Vervelend,' zei hij. 'Jammer.' Hij glimlachte naar me. 'Maar leuk dat ik je weer zie. Daarna vertelde hij dat hij het druk had gehad. Hij had de vriend van het koffiekannetje moeten helpen met iets en hij had geklust bij een vriend op het platteland. 'Was veel werk, maar ik ben er weer,' zei hij.

Er drukte iets tegen mijn schouder, ik deed een stap opzij.

'Hoi,' zei Arie en stak zijn hand uit.

Het is nooit te laat om dingen recht te zetten, als je maar eerlijk bent. Mijn moeder was ervan overtuigd, ik heb haar altijd geloofd. Maar het leven zit niet altijd zo logisch in elkaar. Soms lijkt het opeens een grote chaos te zijn geworden en weet je niet waar je moet beginnen om te overleven. Marcel kende Arie niet, ik had niets over hem verteld. Arie gaf Marcel een hand en zei dat hij bij me in huis woonde en zelfs een tijd op mijn kamer had geslapen. Marcel luisterde en keek neutraal, ik wist niet wat hij dacht.

Arie keek onrustig van Marcel naar mij, zijn ogen groot en glimmend.

'Doe niet!' snauwde ik.

Het kwam van diep, ze keken me allebei aan.

'Wat bedoel je precies?' vroeg Arie. Hij keek onrustig van mij naar Marcel en frummelde aan zijn trui.

Marcel lachte niet meer.

Het was of ik alles van een afstand meemaakte. Toen Arie opstond bij de improvisatieopdracht en mijn idee bleek uit te voeren, leek het of ik met de lift naar beneden stortte, toen Tonny van der Linden me zei dat ik bij Bruggers moest beginnen, raakte ik in paniek. Zo voelde ik me nu, alleen veel erger.

'We zijn afgewezen,' zei Arie snel tegen Marcel en vroeg toen aan mij wie Marcel eigenlijk was, want dat hij hem niet kende, dat hij zelfs nog nooit van hem gehoord had. Had ik Marcel wel over hem verteld? Marcel zei van niet en Arie knikte en zweeg.

'Hij is bij ons in huis gekomen en ging niet meer weg,' zei ik.

'Ik mocht blijven,' zei Arie snel. 'Van Tilly. Van jou toch ook?'

'Ik kon er niets aan doen,' zei ik.

Marcel schudde zijn hoofd, keek naar Arie, naar mij, raakte mijn bovenarm aan. 'Geeft niet,' zei hij en liet los.

Arie knikte. 'Inderdaad,' zei hij. 'Geeft niet.' Ook hij raakte mijn bovenarm aan.

Ik deed een stap naar Marcel toe, Arie ook. Om ons heen begon men te joelen, op het podium sloeg een jongen uit Horst zijn gitaar aan.

'Ik zal het uitleggen,' zei ik.

'Dat hoeft niet,' zei Marcel.

'Nee,' zei Arie. 'Dat hoeft echt niet.'

Het gezicht van Marcel werd langzaam donkerder, ging op in het zwart van de omgeving. De gitaarklanken verstomden, de drummer sloeg een paar keer hard op zijn drums, er werd een muur van geluid opgetrokken, hard, eentonig en eindeloos. De zanger spuwde woedend onverstaanbare teksten in de micro-foon, zakte een keer op de grond en stond weer op. Ondertussen ging het geluid door, beukend en lomp. Wij luisterden omdat er weinig anders opzat. We stonden op een rijtje naar het onrustige licht van de spots te kijken, ik stond precies tussen Arie en Marcel in. Arie deinde zachtjes heen en weer, maar niet op de muziek, hij volgde een heel ander ritme, of hij iets totaal anders hoorde. Marcel volgde het concert geconcentreerd. Wat dacht hij? Wat vond hij van Arie? Vroeg hij zich af waarom hij nooit iets over Arie had gehoord? Ik had nooit iets over Arie verteld, omdat het dan leek of hij niet bestond, alsof ik de momenten niet wilde besmet-ten met gedachtes aan Arie en hem al helemaal niet via woorden tot leven wilde wekken. Maar wat dacht hij nu van mij? Zou het vanzelf goed komen of moest ik iets doen? Ik stelde me voor wat er zou gebeuren als ik woedend op Arie zou worden, dat ik hem de waarheid zou zeggen, waar hij niets van zou snappen. Het zou ertoe leiden dat iedereen wist hoe kwaad ik kon worden en dat er vast een reden voor was en dat het in ieder geval niet aan Arie lag. Arie zou me verbouwereerd aankijken, zich terugtrekken, om via een andere kant weer tevoorschijn te komen. Hij zou altijd weer opduiken. Ik wist dat ik het uiteindelijk moest opgeven, zoals ik me bij alles moest neerleggen; hoe eerder, hoe beter. Er was niets aan te doen. Ik moest maar zien hoe het verderging, misschien was dat wel een opluchting, ik kon het vechten staken, ik was er niet tegen opgewassen. Het leek of ik griep ging krijgen, mijn hoofd voelde wollig en raar, ik was vooral bezig op mijn benen te blijven staan. Ik zocht steun bij de muur, sloot mijn ogen en wachtte tot het was afgelopen.

Toen het geluid verstomde en het licht aanging waren Arie en Marcel verdwenen.

30

Wat kan ik vertellen over de dagen die volgden? Ik lag op bed en keek naar het plafond. Mijn hoofd werd afwisselend warm en koud, het was heet en nat in bed, alles bewoog of ik op een rivier dreef, ik hoorde het water klotsen, er kwamen lui langs, voorbijgangers, jongens vooral en dikke docenten, arbeiders met lampen, grote vrouwen die een wolk van koffiegeur achterlieten, ze knikten en praatten, ze schreeuwden bijna, het ging over in kloppen (of waren dat de jongens uit Horst?), daarna werd het stil, ze gingen weg. De dag ging over in de nacht, ik haalde water in het donkere huis, ik nam koekjes mee en crackers en draaide de deur op slot, het galmde en knerpte en ik ging terug en lag weer en hoorde geen klok, er was geen klok, ik kreeg bezoek, ze kwamen murmelend binnen, het was donker, ze waren met veel, maar ze bleven niet, ze gingen weg zonder me gedag te zeggen, ze hadden met elkaar gepraat, niet met mij, niemand had naar me gekeken, niemand had me gezien. En toen de murmelende menigte weg was, werd er geklopt, het kloppen ging door.

'Hoe heet het,' klonk het.

Mijn gloeiende dekbed ruiste, het ruisen was zacht.

'Maarrre, luister es...'

Arie klonk of hij zelf nog niet wist wat hij ging zeggen, maar het maakte niet uit, het was of de ramen openstonden en het door mijn hoofd waaide, het geluid kwam en ging weer, zonder iets achter te laten.

'Hallooooo... ben je daar? Over het eten nog, want ik dacht...'

Zachtjes ruiste het, ik zakte de rivier af, het werd minder warm. Binnen rommelde het, buiten begon het te dreunen, alsof er op drums werd geslagen.

'Je bent er! Kun je opendoen!'

Het roffelde, geklap tegen de deur, Tilly had een stem die niet van hout was, maar scherp als staal, die tot alle hoeken van de kamer doordrong en ook tot ver in je hoofd; het kwam staccato naar binnen, als een mitrailleur.

'Stel je niet aan! Doe open!'

Het roffelen ging door en daarna bromde het, of er motoren aansloegen, een motor draaide en bleef draaien, het was een bus, er kwamen acteurs en artiesten die instapten en muzikanten, ze wilden weg, ze gingen allemaal de bus in, maar die raakte niet vol, hoeveel er ook instapten, ook niet toen ze hun instrumenten begonnen mee te slepen en hun versterkers en boxen. Ze bleven maar komen, tot de deuren sloten en de bus begon te rijden, de hobbelende weg over, hij werd klein en verdween. Toen klonk er gerinkel en gestamp. Het klopte en bonsde, maar uiteindelijk hield het op.

Ik ademde warme lucht, er was alleen het zachte zuchten. Het klotsen kwam terug. Eerst nog op de achtergrond, maar steeds meer en overal.

Ik werd wakker gemaakt door mijn leraar maatschappijleer. Hij vroeg wat ik deed, hij keek zoals die keer toen ik hem in de stad tegenkwam, bezorgd, geschrokken, hij deinsde achteruit alsof hij bang voor me was. Daarna veranderde hij in een vrouw, ze stond daar, haar hoofd een beetje scheef, alsof ze met één oor beter hoorde dan met het andere. Ik begon te praten, ik vertelde over de afgelopen dagen, de afgelopen weken en over daarvoor. Ze luisterde en knikte, maar anders dan normaal, want normaal knikken ze alsof ze vriendelijk en belangstellend zijn, zonder dat ze er met hun hoofd helemaal bij zijn, omdat ze nog iets anders moeten doen, ze hebben haast, ze staan vaak met hun rug al half naar me toe, maar zij niet, ze bleef luisteren of ze alle tijd had en het haar interesseerde. En daarna wees ze naar iemand, het was mistig, maar ik zag dat er iemand was en die stapte naar voren.

Marcel.

Ik schrok, hij keek me aan. 'Het concert, ze zijn allemaal weg...' zei hij. 'En daarom is het concert afgelopen.'

'Het viel niet mee, Lotte,' zei de vrouw, ze opende haar hand. 'Kijk, allemaal tranen.'

Het was koud in bed. Ik draaide mijn dekbed om en draaide de droge kant van mijn kussen naar boven. Ik had over Marcel gedroomd, hij had erbij gestaan zoals ik hem in Oblomov had gezien, met zijn blik strak naar het podium, kin naar voren, mond dicht. Mijn gezicht was nat. Waar zou hij nu zijn? Hij was weggegaan zonder gedag te zeggen. Hij dacht vast van alles over Arie en mij en Arie zou hem er niet bij helpen het op te helderen, die zou het alleen maar ingewikkelder maken, misschien besloot hij toen dat hij mij beter met rust kon laten.

Waarom kwam Arie eigenlijk achter me aan? Waarom in hemelsnaam ging die jongen waar ik niets mee had en niets voor voelde, steeds weer bij me staan? Hij was een huisgenoot die ik niet aardig vond. Wat wilde Arie van me? Hij had nu toch een dak boven zijn hoofd?

Marcel zou wel boos zijn. Of misschien dat niet eens, want boosheid geeft kracht, misschien voelde hij zich leeg en eenzaam. Wat vond Arie daarvan? Hij moest toch in de gaten hebben dat hij alles kapotmaakte?

Marcel zou denken dat ik een spelletje met hem speelde. Ik zag hem zitten op zijn stoel tegen zijn houten muur, terwijl hij door zijn raam naar buiten keek. Over mijn gezicht stroomden kleine riviertjes naar mijn kussen. Ik legde mijn hand op mijn maag. Dat gedachtes pijn konden doen, letterlijk pijn, dat wist ik niet.

Wat iemand denkt, dat weet je nooit zeker, dus moet je ernaar vragen. Maar gedachtes kun je soms niet stoppen. Ik sloot mijn ogen, perste de tranen weg en liet de volgende golf over me heen slaan. Hoe was Marcel naar huis gelopen? Ik ging op mijn rug liggen, duwde met mijn hand op mijn maag. Het hielp niet. Het was niet meer warm in bed.

Marcel zou me niets meer vragen, hij zou denken dat ik toch zou liegen. Ik zag hem lopen door zijn kamer, niet in staat om tot rust te komen. Of las hij een boek? Daar kon hij zich niet op concentreren, dus ging hij naar zijn vriend, die hem zou uit-lachen omdat iedereen toch weet hoe vrouwen zijn. Misschien was hij naar het platteland vertrokken en kwam hij voorlopig niet terug.

Ik zag zijn mond voor me, die hij gesloten hield of hij zo zijn plezier en gevoel binnen kon houden. Ik zag hoe hij naar me keek toen hij mijn arm aanraakte, hoe zijn warme hand lichtjes even op mijn rechterarm bleef liggen en hoe hij hem daarna weer te-rugtrok, met een vegend gebaar of hij het ongedaan wilde maken.

Hij had me leuk gevonden, toen hij naast me zat op het bank-je bij Gerjanne. Hij had erbij gezeten of hij alles wilde onthouden. Met een verlegen glimlach keek hij naar beneden en toen was er een lach op zijn gezicht doorgebroken, om niets, alleen maar omdat hij het plezier niet langer had kunnen binnenhouden. Nu probeerde hij dat allemaal te vergeten.

Ik lag op mijn ellebogen op bed, schudde mijn hoofd, keek de kamer in. Zonlicht piepte langs de gordijnen, maakte een streep op de muur. Welke dag was het? Hoe hard kan een hart bonzen voordat het schadelijk wordt? Er stonden een paar glazen naast mijn bed, ernaast een kan met water en half opgegeten crackers.

Ik ging rechtop zitten. Het huis was stil, ik schoof uit mijn bed, ging naar de badkamer, bleef lang onder een hete douche staan, kleedde me aan. Het was nog steeds donker toen ik ging opruimen, hoewel het geen opruimen was, ik liep vooral heen en weer. Ik pakte een maillot, gooide die in een hoek boven op een stapeltje vieze kleren, waar hij bleef liggen als een nestje leeggelopen slangen. Met mijn ene hand tegen de deurpost en mijn andere tegen de muur. Ik stond daar en keek naar mijn slappe, vuile maillot.

Het had geen zin.

Het was al licht geworden toen ik de deur achter me dichttrok, langzaam brak er een waterig zonnetje door, maar voor ik de straat uit was, was die weer achter de wolken verdwenen. Ik sloeg links af, de vrouw knikte, mijn benen waren zwaar, ik zwalkte een beetje, voelde me misselijk, maar ik liep door.

Ik belde aan.

Marcel deed open.

Epiloog

'Hallooo,' zegt hij en zwaait, net als vroeger. Zijn lach is warm en gul. Even denk ik dat ik me al die tijd vergist heb, dat hij wél aardig is. Maar dat is het probleem nooit geweest. Hij staat pal voor me; hij staat te dichtbij; er is niets veranderd.

'Hoi,' zeg ik en doe een stap opzij.

Hij ook, hij staat voor me.

'Hoe is-ie?' Hij kijkt als een hond die een balletje komt terugbrengen en niet kan wachten op mijn reactie.

'Goed,' zeg ik. 'Met jou ook?' Ik doe een stap terug.

Hij doet een stap vooruit.

'Maarrre, je woont hier in de buurt?'

'Jij?' vraag ik. 'Woon jij nog bij Tilly?'

'Neuh.' Arie wiegt dromerig met zijn hoofd.

'Ik heb nu even haast,' zeg ik. 'Ik moet echt even verder. Later praten we wel een keer bij.'

Ik loop om hem heen, laat hem achter.

De jas die hij draagt ken ik niet, maar het is een echte Arie-jas: een beetje vuil en eigenlijk te groot. Hij is niet donkergroen, maar beige. In die vier jaar is Arie amper veranderd. Hij loopt weer naast me.

Zo ging het inderdaad.

'We hebben in wezen nooit gedag gezegd,' zegt hij. 'Niet echt.'

'Nee,' zeg ik.

Zijn hand op mijn mouw, hij trekt er zachtjes aan.

'Maarrrehm, wat doe jij tegenwoordig? Ik bedoel: doe jij iets tegenwoordig?'

'Jawel,' zeg ik. Ik schud mijn arm los en loop verder. Als een schaduw blijft hij aan me vastgeplakt. 'Ik doe wel wat, ik studeer, jij?'

Ik voel zijn ogen prikken, zijn hand tikt af en toe mijn arm aan en ik hoor hem zacht hijgen. 'Wat studeer je?'

'Psychologie.'

Nu hijgt hij harder. 'Wat? Aan de Open Universiteit? Doe je een cursus?'

Ik loop door. Nu niet uitleggen dat ik gewoon aan de universiteit studeer. Ideetje van Marcel. Omdat ik alleen havo had, kon ik me niet inschrijven, maar moest ik eerst op gesprek bij twee mannen. De een was voor, de ander tegen en uiteindelijk zeiden ze dat ik maar moest beginnen als ik dat wilde, dat ik het dan vanzelf zou zien. Ik begon en het viel niet mee. Soms is het maar beter dat je niet weet wat je te wachten staat. Maar het lukte. 'Zie je wel,' had Marcel gezegd.

Arie trekt zachtjes aan mijn jas. 'Maar vertel eens, wat doe je precies? Is het schriftelijk?'

Ik trek mijn mouw voorzichtig los en loop door.

Hij haalt me weer in, gaat voor me staan.

Zo staan we tegenover elkaar.

Arie kijkt me verwachtingsvol aan.

Ik moet de rollen omdraaien. 'En wat doe jij dan?' vraag ik.

Zijn ogen dwalen af. Ik grijp mijn kans en loop verder, hij komt snel naast me lopen. 'Ik eh... ik pas op kinderen, ik ben betrokken bij een crèche, dat is wel leuk. En als ik een keer niet kan, is dat geen probleem.'

Af en toe botsen we, hij drukt me bijna tegen de gevel, maar lijkt dat amper in de gaten te hebben.

'Ik verdien er dus geen geld mee,' gaat hij door. 'Dus ik heb nog een uitkering, dat geeft vrijheid. En jij? Heb jij nog een uitkering?'

Ik schud mijn hoofd, haal mijn schouders op. Het kan alles betekenen. Hij hoeft niet te weten dat ik een beurs heb.

Eerlijkheid betekent niet dat je alles aan iedereen moet vertellen. Mensen kunnen ook te moeilijk voor je zijn. Dat is niet erg, maar wel iets om rekening mee te houden. Ik las ergens dat sommige mensen net slootjes zijn waar je niet overheen kunt komen. En dan moet je niet eindeloos proberen er toch overheen te springen, soms kun je beter een plankje over zo'n slootje leggen. Een plankje over een slootje leggen, die uitdrukking zal ik nooit vergeten.

'Maar ehm...' mompelt Arie. 'Woon je hier ergens? Ik woon hier niet, maar ik kom weleens hier en daar.'

Ik zeg niets. Hij hoeft niet te weten dat ik vanaf de dag dat ik bij Marcel aanbelde, nooit meer ben weggegaan, omdat daarvoor geen reden was. Het gaat hem niets aan.

'En kijk eens...' Hij rommelt in zijn zakken en laat dan een stapeltje brieven zien. Hij kijkt me aan met vochtige ogen. 'Leuk hè?'

Ik sta stil.

Arie ook. Hij vouwt een brief open, kijkt er teder naar.

Ik herken haar handschrift: mijn moeder. Hij is gisteren geschreven, 23 januari staat erboven.

'Wat is dat?' vraag ik. 'Hoe kom je daaraan?'

Arie grijnst zijn grijns waarbij je niet ziet waar hij naar kijkt. 'Ik zie haar soms,' zegt hij. 'Ik ben er weleens geweest. Soms ben ik daar.'

Mijn hart staat stil en begint dan hard te pompen. Dit kan niet waar zijn, dit mag niet. 'Waarom? Wat moet je bij mijn moeder?' Ik vraag het zo rustig mogelijk, maar ik klink buiten adem.

De grijns glijdt van zijn gezicht af en met een verbaasd, kinderlijk gezicht zegt hij: 'Wat maakt dat uit? Je komt er nooit.'

Zijn ogen lijken nu helemaal geen licht meer door te laten.

Stilte schijnt beter te werken dan doorvragen. Ik zwijg.

Arie begint weer te praten. 'Weet je wat het is? Wij kennen elkaar, jij en ik. Nu kom ik je tegen en dan blijkt dat ook weer. Ze vindt het fijn om over je te horen.'

Ik zeg nog steeds niets.

'Het troost haar als ik vertel hoe het met je gaat. Ze zal het heel leuk vinden dat we elkaar nu gesproken hebben.' Hij doet een stap naar achteren, bekijkt me door zijn wimpers. 'Ze wilde weten hoe het met je gaat. Al kan ik haar alleen maar vertellen wat je aanhebt. Dat zal ze ook echt willen weten, daar wordt ze rustig van. Ze is aardig, je moeder.'

Hij gaat op zijn andere voet staan, draait het stapeltje om, bekijkt de achterkant, trekt er een brief tussenuit, vouwt die open, bekijkt hem even. 'Ze vroeg me of ik jou dit wilde geven. Nou ja, geven... ze zijn eigenlijk aan jou gericht, maar ook weer niet, ze zijn meer voor haarzelf.'

Ik heb nog nooit een brief van mijn moeder ontvangen. En het is al lang geleden dat ze me belde, meer dan een jaar, misschien wel twee. Later nam ze de telefoon niet meer op en uiteindelijk heb ik het maar zo gelaten.

'Waarom heb jij die brieven?' vraag ik.

Arie kijkt tevreden naar de stapel in zijn hand. 'Ik heb ze, omdat... nou ja, omdat ik zo misschien wat duidelijkheid krijg in de hele situatie.' Hij schudt zijn hoofd. 'Misschien moet ik het niet zeggen. Ze heeft de brieven geschreven, maar misschien is het niet haar bedoeling dat iemand ze leest.' Hij kijkt even naar het papier in zijn hand, constateert zelf dat er iets niet klopt. Met een frons: 'Waarschijnlijk wil ze alleen dat ik je er iets over vertel, als we elkaar spreken, bedoel ik.'

Hij vouwt de brief weer op en stopt hem boven op het stapeltje. 'Ze wil dat ik je er iets over vertel. Dat zei ze.'

Ik strek mijn hand uit. 'Mag ik even kijken?' vraag ik.

'Ik weet niet of het de bedoeling is, dus doe ik het liever niet,' zegt hij. 'Misschien lees ik je zo wel iets voor.' Hij stopt ze in zijn jaszak.

We zitten tegenover elkaar in De Tempel. Arie heeft zijn biertje half op, ik houd mijn handen om een glas lauwe thee. Hij zal me alles uitleggen en daarna mag ik een paar passages in de brieven lezen, hij leest ze niet voor, ik mag ze zelf zien, beloofde hij net. Maar Arie kijkt nog steeds naar buiten, zijn ene hand ligt op tafel, met de andere wijst en gebaart hij, terwijl hij onophoudelijk praat. Hij wijst naar een meisje in een lange jurk, ze loopt vlak achter een vuilniswagen aan de overkant van de brede straat en ze lijkt het niet eens in de gaten te hebben. Hij knikt naar een stel dat vlak voor de vuilniswagen oversteekt. De auto heeft nauwelijks vaart, maar toch lijkt het of ze er bijna onder komen. En die jongens daar... wat gaan die doen met die enorme tas?

'Arie,' onderbreek ik hem. 'Waarom loop je met die brieven rond als ze van mijn moeder zijn?'

Even is het of hij niet weet wat ik bedoel, maar dat weet hij natuurlijk wel. Dan zegt hij dat hij ze even heeft meegenomen en wordt zijn aandacht weer getrokken door een passant.

Wat is hij van plan? Maakt Arie ooit plannen? Ik herhaal mijn vraag, hij weert af, hij heeft de brieven maar even en moet ik daar kijken, die man die daar loopt...

Ik kijk niet, ik dring aan: zijn het brieven? Want als het brieven zijn, waarom stuurde ze die dan niet op?

'Beschouw het als haar dagboek,' zegt hij, zijn stem klinkt geruststellend, hij knijpt zijn ogen zachtjes dicht of hij wil voordoen hoe ik in slaap moet vallen. Hij laat zijn stem dalen als hij zegt: 'Ik leg ze vanavond weer terug.'

Hij legt ze terug? Weet mijn moeder dan niet dat hij met haar brievendagboek rondloopt? Heeft hij ze stiekem in zijn zak gestopt? En hoezo legt hij ze vanavond terug?

Ik ga rechtop zitten.

'Ga je er vanavond weer naartoe?'

Aries gezicht is als een tekenfilm: eerst kijkt hij of het logisch is, dan denkt hij na, lijkt te schrikken, legt zich erbij neer en zucht. 'Ze hebben me even nodig.'

'Hoezo?'

Hij haalt zijn schouders op en drinkt zijn glas leeg. Waterig kijkt hij me aan.

Opeens weet ik het: hij logeert daar, hij is bij mijn ouders ingetrokken.

Hij steekt zijn hand op, bestelt nog een biertje, en met een gul gebaar wijst hij naar mijn lege theeglas. Ik mag nemen wat ik wil. Dit is typische Arie-gulheid, gulheid die hem waarschijnlijk niets gaat kosten.

'Slaap je in de huiskamer?' vraag ik.

Hij schudt zijn hoofd.

'Waar dan?' Ik negeer de mogelijkheid dat hij er niet slaapt, ik weet het gewoon: hij woont daar.

'Jouw kamer,' zegt hij. Met zijn ogen zoekt hij de straat af, maar nu vast niet naar opvallende mensen, maar naar een verklaring waarmee hij mij de mond kan snoeren.

Ik voel hoe een koord om mijn borstkas langzaam wordt aangetrokken als ik die ineengedoken gestalte tegenover me zie zitten. Als hij daar slaapt, weet ik wel ongeveer in welke fase we zitten.

Arie frommelt aan zijn jas, haalt het stapeltje brieven tevoorschijn, laat er zijn mollige hand op rusten. Hij bestelt nog een biertje en een portie bitterballen. Hij praat met het barmeisje, zijn ene hand op de brieven, met de andere plukt hij aan haar schort.

Ik wacht ongeduldig tot hij is uitgepraat.

Eindelijk draait hij zich weer naar mij. 'Misschien moet je zo even meekomen anders,' zegt hij. 'Dan kun je het allemaal van haar zelf horen. Dat is misschien wel zo gezellig. Als je toch niets beters te doen hebt?'

Arie neemt blazend hete hapjes van een bitterbal. Ik mag ook gerust.

Ik zit en zwijg.

Met kleine, haastige gebaartjes werkt hij het eerste balletje weg. Als ik straks met hem meega, zit ik daar, met Arie, mijn moeder en mijn zwijgende vader. En dan? Hoe leg ik uit dat ik niets meer heb laten horen omdat ik het heb opgegeven? En hoe vraag ik: waarom hoorde ik ook niets van jullie? Kwam dat door hem?

Ik wil Marcel bellen om te vragen wat ik moet doen, maar voordat ik opsta en een telefoon ga zoeken, besluit ik dat ik dat niet doe. Hij heeft vast een oplossing, maar ik moet er nu zelf een bedenken.

Mijn hand schuif ik naar de brieven, ik til er eentje vanaf, Arie veert op, legt een aangevreten balletje terug. Ik leg de brief weer op de stapel. Arie schuift ze op zijn helft van de tafel en begint weer te eten.

Mijn hand ligt op de tafel, in de buurt van de brieven.

Hij neemt kreunend een hap en kijkt naar de vuilniswagen die nu langs het raam schuift.

Arie is een slootje en het is me nooit gelukt eroverheen te springen.

Langzaam sta ik op. Ik pak de stapel, bekijk ze.

Arie schiet rechtop, schudt zijn hoofd.

'Ik kijk alleen even, maar hier...'

Ik leg ze terug op tafel, precies in het midden en trek mijn jas

aan. Arie woont in mijn kamer. Hij heeft de brieven over mij geschreven door mijn moeder. Alleen daar kan ik iets aan doen.

Arie wijst naar het bier, de balletjes, kijkt van mij naar het
meisje achter de bar en weer terug. Snel probeert hij het hete
balletje weg te werken.

'Zeg maar dat ze me moeten bellen als er iets is.'

Arie knikt haastig.

'Dat ze me moeten bellen als het belangrijk is. Ik ga ervan uit
dat als ze met me willen praten, of me nodig hebben... dat ze dan
zelf...'

Ik kijk naar Arie. Naar de brieven. Buiten slaat de afvalwagen
een smalle zijweg in en stopt. Als je het stapeltje er met een
boogje ingooit, vind je ze nooit meer terug.

Hij veegt zijn hand af aan zijn T-shirt en steekt zijn hand op
naar het meisje achter de bar.

Ik grijp de brieven, draai me om, loop naar de deur. Achter me
hoor ik zijn stoel over de vloer schrapen.

Ik begin te rennen.

~

Lotte, 23 januari

Geen idee of je zou willen weten hoe ik erover denk, ik denk
het niet, maar we kunnen het proberen. Dit is in ieder geval de
laatste brief die ik je schrijf. Het moet maar eens afgelopen
zijn, ik moet me losmaken van jou. Ik doe alleen nog deze
poging, dan heb ik het tenminste geprobeerd.

Ik wil geen fouten maken, misschien is dat het.

De eerste keer dat ik Arie ontmoette zei ik het al: wat een
vreselijk aardige man. Ik mis Gerard nog steeds. Met Arie is
het natuurlijk anders, maar er is wel een overeenkomst,

namelijk dat Arie een grote steun voor mij is. Hij is goedhartig. Dat hij je gaat zoeken, dat hij je zal vinden en je zal vertellen wat je misschien niet wilt horen en misschien ook wel, dat troost me meer dan ik zeggen kan. Ik weet niet goed hoe ik het moet uitdrukken, maar als hij je vraagt om mee te komen, dan heb ik toch gedaan wat ik kon?

Het geeft mij een rustig gevoel dat hij je zal vertellen wat ik heb doorgemaakt, hoe moeilijk ik het soms heb.

Je belt niet meer en dat vind ik moeilijk, dat mag je gerust weten. Toen je nog wel belde vond ik het ook niet altijd makkelijk. Soms heb je steun en liefde nodig, maar jouw stem kon zo hard klinken, zo onverschillig, alsof je iets opeist, alsof je van de andere wereld komt, de harde wereld, de wereld waar jij zelf zegt ook zo'n moeite mee te hebben.

Je hebt nooit begrepen dat het voor mij soms ook moeilijk kan zijn.

Die hardheid heb je van papa, ik snap dat zo'n harde kant handig kan zijn, dat je daarmee verder komt, maar voor mij is het niet altijd makkelijk. Raar vind ik het, dat een kind zo van je kan verschillen als jij van mij.

Ik ondervond geen steun van je en ik kon het niet aan, dus zei ik dat ik het druk had, dat is toch niet zo raar? Ik hoop dat je daar een beetje begrip voor kunt opbrengen. Wat had ik anders moeten zeggen in mijn situatie?

Het is lastig om het goed te doen. Ik ben blij dat Arie je gaat halen, misschien kunnen we de kloof nog overbruggen.

Wat ik je schrijf, dat geeft me overzicht, dat is goed, maar je zult het niet lezen. Als ik dat plan had, had ik het anders geschreven, dan had ik het allemaal heel anders moeten verwoorden. Het gaat erom dat ik voor mezelf weet wat me te doen staat en dat ik daar hulp bij krijg. Want ze helpen me, en dan moeten we toch een gesprek kunnen voeren? Niet ik alleen, maar samen met de anderen, met Arie. En met papa natuurlijk.

Ik vraag me af wat ik moet doen als je binnenkomt, moet ik je omhelzen of kan ik beter even afwachten? Misschien moet ik eerst wachten en kijken of jij het initiatief neemt. Het zijn dit soort beslissingen waar ik zo moe van word en zo onzeker. Als ik wist wat goed was, dan deed ik het, maar hoe weet ik dat? Je kunt erover praten, kijken hoe anderen het doen, hun vragen wat het beste is.

Was je maar meer zoals Arie, met hem gaat het zo natuurlijk. Wat ik misschien vooral tegen je wil zeggen, wat ik heb ontdekt, is dat we er niet alleen voor staan, ik ook niet. Ze zijn er voor me. Maar jij hoort er ook bij. Ik wil dat jij het ook ontdekt, ik wil dat we elkaar allemaal kunnen helpen, met zijn allen, ook jij.

Ik ben je moeder. Als je je dat realiseert, als je je dat echt en volledig zou realiseren, dan komt het allemaal vast goed.